AU PETIT BONHEUR
LA CHANCE !

Auteure préférée des Français en 2018, Aurélie Valognes croque la famille contemporaine avec humour et émotion. Ses comédies, *Mémé dans les orties*, *En voiture, Simone !*, *Minute, papillon !* et *Au petit bonheur la chance !*, véritables phénomènes populaires, ont conquis le cœur de millions de lecteurs et lectrices à travers le monde : des best-sellers qui se partagent à travers toutes les générations, de 8 à plus de 100 ans.

Paru au Livre de Poche :

EN VOITURE, SIMONE !

MÉMÉ DANS LES ORTIES

MINUTE, PAPILLON !

AURÉLIE VALOGNES

Au petit bonheur la chance !

MAZARINE

Citation :
P. 7 : Gabriel García Márquez, *Vivre pour la raconter*
© Éditions Grasset & Fasquelle, 2003, traduit de l'espagnol
par Annie Morvan.

© Mazarine/Librairie Arthème Fayard, 2018.
ISBN : 978-2-253-07430-4 – 1re publication LGF

La vie, ce n'est pas ce que l'on a vécu,
mais ce dont on se souvient.

Gabriel García MÁRQUEZ

1

Prendre la poudre d'escampette

Jean est un rêveur : il a toujours le nez en l'air, perdu dans ses pensées. Alors, immanquablement, il se fait surprendre par le plus banal caillou sur sa route et se retrouve, aussitôt, les quatre fers en l'air. Chaque fois, le petit garçon se relève d'un bond en murmurant « même pas mal ». Pour se souvenir de ne pas pleurer. Pour se convaincre que ce n'est pas douloureux.

À 6 ans, ses genoux cicatrisent bien, et son orgueil reste intact : il se fiche pas mal de ce que pensent les autres, ceux devant qui il s'étale une dizaine de fois par jour. À chaque dégringolade, il repart, comme il est venu, en chantonnant.

Marie, sa mère, aurait aimé lui apprendre à avancer sans trébucher. Elle aurait voulu lui épargner ces chutes inutiles, qui la blessent autant que lui. Peut-être aurait-elle pu lui conseiller de lever un peu plus les pieds ? Mais marcher, ce n'est pas comme manger ou lire, cela ne s'enseigne pas.

Les autres garçons de son âge, eux, ne tombent pas, ou si peu, et c'est alors le drame : une effusion de larmes pour quelques égratignures. Jean est un dur à cuire, il encaisse presque tout. Et quand il n'est pas à terre, il marche droit. Pas comme les clients de la brasserie où travaille Marie, qui, eux, peinent à mettre un pied devant l'autre en sortant le soir.

Marie devrait s'estimer heureuse : pour le moment, son fils ne s'est rien cassé. Même son cœur n'a pas connu les accrocs d'un premier amour. Sauf, peut-être, lorsqu'il a découvert qu'il ne pourrait pas l'épouser. Cela ne se fait pas, même si elle n'est pas mariée, même si elle est encore très jeune, même si elle ne semble plus tellement amoureuse de son père. Alors, il la serre très fort contre lui jusqu'à s'endormir. Parfois, Marie est tellement épuisée par sa journée de travail qu'elle sombre à son tour, en respirant l'odeur de son petit homme. Jean sait que, ces nuits-là, il ne risque pas de faire des cauchemars. Elle est là. À ses côtés. Toujours.

Jusqu'à cette soirée où sa mère le tire de son rêve. C'est la nuit. Il fait très froid tout à coup.

10

Jean tient son nounours plus fort contre lui. Il soulève une paupière et discerne Marie qui attrape la petite valise blanche, celle avec les autocollants Disney dessus. Et la remplit, silencieusement. Ses yeux, eux, se vident. Des larmes de tristesse. De colère. De détermination. Cette fois-là était celle de trop. *Il* ne lui fera plus de mal. Jamais. Marie reprend sa vie de jeune femme de 28 ans en main. Avec Jean dans ses bagages.

Dehors, le petit garçon s'accroche fort autour de son cou. Elle marche très vite, accélère au moindre bruissement de feuilles et se retourne souvent. Jean se fait le plus léger possible. Il ne veut pas qu'elle l'abandonne à la voisine, comme elle vient de le faire avec leur chien.

Le cœur de Jean se serre. Il sent qu'il va pleurer. « Même pas mal », se murmure-t-il à lui-même. Blotti contre celle qui lui caresse tendrement les cheveux comme pour lui enlever toute sa peine, il réfugie son nez au creux de la nuque de Marie. Son cou a cette odeur particulière : un mélange unique de tabac, de citron et de miel. Même sa peau a un goût délicieusement salé par les larmes qu'elle laisse couler. Jean s'agrippe le plus fortement possible. À son odeur, à sa chair. Pour ne pas être séparés. Jamais.

Deux âmes fragiles percent la nuit et, en moins d'une heure, viennent gratter une porte familière.

L'aurore pointe déjà son nez. En découvrant ces deux fugitifs et la petite valise, Mémé Lucette n'a pas l'air surprise. Elle ne pose aucune question. Jean, lui, en aurait eu des dizaines, mais la fatigue l'emporte. La jeune mère claque la porte derrière elle et repart. Lui reste, seul, chez sa grand-mère. Pour l'été. Pour toujours.

Jean ne le sait pas encore, mais, ce jour de juillet 1968, sa nouvelle vie commence.

2

C'est la croix et la bannière !

Jean a fait un mauvais rêve. C'était, la veille, le jour de son anniversaire, le 14 juillet, journée pourtant réputée être une fête. Son père était rentré plus tôt que prévu pour lui faire une surprise. Il avait rapporté un nouvel oiseau extraordinaire de son dernier voyage, pour copiner avec le perroquet, qui ne s'arrêtait jamais de jacasser. Comme sa mère n'avait pas pu s'empêcher de rendre sa liberté au Gris du Gabon, son père s'était aussitôt fâché. Jean avait été envoyé au lit, sans avoir soufflé ses six bougies.

Ils avaient crié, Marie avait pleuré et tout cassé dans la maison. Plus tard, alors que son sommeil était lourd, Jean avait senti un baiser posé sur sa joue et une voix douce qui le réveillait. Il se souvient de la valise blanche. Du départ précipité de

Saint-Pair-sur-Mer pour Granville. De la porte de Lucette qui se referme, sur sa mère qui part. Et lui, qui reste seul. Le temps que sa Maman s'installe. À Paris. Sans lui.

Les derniers mots de Marie résonnent dans sa tête. Comme un cauchemar qui n'en finit pas. Elle a promis qu'elle reviendrait. Alors, elle reviendra, c'est sûr. Jean s'accroche à cet espoir.

Quand le petit garçon ouvre un œil, il ne reconnaît rien. Un matelas par terre, son nounours à côté de lui, écrasé par le couvercle de la valise blanche. Tout est moche, démodé et peu commode. Comme Mémé Lucette.

3

Et des brouettes…

Lucette était aux premières loges le jour de la naissance de Jean, en juillet 1962, à Granville, en Normandie. Cette année-là n'est pas aussi heureuse qu'a pu le chanter plus tard un certain Claude François. Le monde est un vrai bazar – Nelson Mandela est emprisonné, Cuba boycottée, la guerre du Vietnam gronde, alors que le mur de Berlin vient à peine d'être achevé.

Cependant, il en faut plus pour défriser Lucette. Bien que Jean ne soit pas son premier petit-fils, elle le trouve tout de suite « extraordinaire ». Mais comme, dans la famille, on ne montre pas ses sentiments, la grand-mère est vite redevenue une vieille femme charpentée et austère, avec qui on ne plaisante pas. Elle a élevé de manière respectable ses sept enfants et continué à mener sa barque, même lorsque son mari, Marcel, est mort subitement.

Jean n'est donc pas le seul petit-fils : sa tante Françoise a déjà trois jeunes enfants, qui auraient pu être des cousins de jeu pour lui, mais, pour une raison qui échappe au garçon, Françoise et Marie, même si elles sont sœurs et habitent toutes les deux la région, préfèrent autant rendre visite à Lucette quand l'autre n'y est pas.

Lucette habite place d'Alsace-Lorraine, mais tout le monde à Granville appelle cet endroit « Le Calvaire ». Il est situé tout en haut de la côte de la gare. Elle est vraiment raide à monter, surtout sous un soleil ardent en portant les courses du jour.

L'immeuble de Lucette est très vieux et ce n'est pas le grand luxe : pas de téléphone, de téléviseur ni de frigidaire, mais surtout ni eau courante ni toilettes. Il faut descendre deux étages pour remplir les bassines, puis les remonter à pied, car il n'y a pas non plus d'ascenseur. On passe une bonne partie de la journée à grimper ces marches : pour la toilette, la lessive ou la vaisselle. Lucette a fini par avoir de bonnes cuisses et un bon souffle !

Pour les waters, cela se passe carrément dehors : au pied du bâtiment, dans la rue, derrière une

16

vieille porte en bois avec un petit cœur pour la ventilation. La nuit, la vieille dame utilise plutôt un pot de chambre, qu'elle descend vider chaque matin. Sauf si Jean vient en vacances, c'est alors lui qui s'y colle. Parfois en tombant, toujours en chantonnant.

D'habitude, Jean l'aime bien, Mémé Lucette. C'est un peu une magicienne ! Elle n'a pas beaucoup de sous, mais elle parvient à transformer de simples œufs en crêpes, de la farine et du sucre en gâteaux, et même si elle ne sourit jamais, il sait qu'elle a un faible pour lui. Un petit « je ne sais quoi » !

Ce matin, cependant, Lucette ne l'aura pas. Même avec cette odeur de biscuits maison qui s'échappe du four et vient lui chatouiller le nez jusqu'au salon où il est allongé : Jean a verrouillé ses narines, sa bouche et son cœur.

Il se recroqueville, tourne le dos à sa grand-mère, qui le fixe depuis le seuil de la cuisine. Il disparaît sous l'édredon chaud et rassurant. Pour cacher sa peine. Pour dormir encore. Jusqu'à ce que sa mère revienne.

Quand il ouvre à nouveau les yeux, la vieille dame est installée dans son fauteuil, en face de lui, à tricoter.

Rapide comme Spoutnik, cette Mémé !

Ordinairement, il aime l'observer monter les mailles, les unes après les autres, pendant des heures, tout en écoutant France Inter. Jean tend l'oreille : le transistor passe la chanson d'une femme qui n'a besoin de personne en Harley Davidson. Le petit garçon espère que ce n'est pas ce que pense sa mère, qui a, elle aussi, filé toute seule.

Marie a toujours eu des rêves plein la tête. Des envies d'ailleurs plus grandes que la chambre de 7 m² qu'elle partageait avec Françoise, sa grande sœur.

À Granville déjà, elle étouffait : on lui reprochait toujours quelque chose. De ne pas rester dans le rang, de braver les interdits ou d'enfreindre les règles. Elle n'y pouvait rien, elle était née comme ça, en défiant les lois de la nature ! Marie, la petite dernière de la fratrie, était arrivée comme un miracle, alors que ses parents pensaient ne plus jamais avoir d'enfants.

Alors elle part, loin de la Normandie étriquée qu'elle abhorre, où elle a dû rester, faute de mieux. Même si elle doit laisser derrière elle un petit homme. La jeune mère choisit un cadre à la hauteur de ses premières ambitions, un lieu où on la comprendra, la soutiendra, et où elle ne sera pas montrée du doigt. Paris.

Là-bas, personne ne lui dictera plus quoi faire. Elle fera seule ses choix, pour rester libre. Pour s'offrir une vie meilleure, pour elle et pour Jean.

Le soleil granvillais s'est éclipsé. Jean a passé sa première journée sans sa mère. Dans les bras de Morphée, à défaut des siens. Lui et elle ont toujours été inséparables. Depuis sa naissance, il ne s'est pas écoulé un jour sans qu'ils vivent au moins un moment complice ensemble, malgré son travail de serveuse qui la prive souvent de soirées ou de week-ends.

Jean avait un tout autre rapport avec son père : il était rigolo, aimant, mais jamais là. Même quand il était présent, il n'y était pas vraiment. C'est d'ailleurs, en substance, ce que Marie lui avait dit le soir de leur fuite. Lui avait rétorqué qu'on ne pouvait pas reprocher à un marin d'être absent, alors que chaque pêche à la morue l'éloigne au moins pour quatre mois. Personne ne lui enlèverait sa liberté de prendre la mer. Ni une compagne, ni son fils, apparemment.

Lorsque Jean émerge à nouveau, il fait nuit. Le garçon a soif et surtout très faim. Sur la table de la cuisine, il trouve une petite assiette à son attention. Il l'ignore : mécaniquement, il cherche le frigidaire, ou l'eau au robinet. Cela n'existe pas ici. Ce n'est pas comme à la maison.

Par dépit, il se jette sur la collation que sa grand-mère lui a préparée : même ses gâteaux préférés ont un arrière-goût de périmé. Ce doit avoir ce goût-là, la tristesse.

4

Vieille morue !

Les rideaux épais et poussiéreux du salon font soudain place à une lumière aveuglante. Jean se réfugie sous sa couverture en crochet pour échapper à cette attaque sournoise du jour, qui veut le tirer de sa léthargie. Il se rend alors compte qu'il est nu comme un ver.

— Debout ! Il va falloir t'activer aujourd'hui, mon petit bonhomme. Hors de question que tu restes toute la journée à te lamenter.

Qui parle ? Et c'est qui, ce petit bonhomme ?

Jean s'assoit et se frotte les yeux pour décoller ses cils qui peinent à laisser passer la silhouette d'une Lucette gesticulante devant lui.

— Tu crois que c'est ce qu'on faisait en période de guerre ? Pleurer ceux qui étaient partis ? Et encore, on en aurait eu, des raisons d'être désolé : eux, ils ne revenaient pas, ils étaient volontaires pour devenir de la chair à canon. Eh bien, figure-toi que l'on ne restait pas avec un poil dans la main. Non ! La vie continuait et on se levait chaque matin pour s'occuper de toutes les corvées qui ne se feraient pas toutes seules.

Lucette ne semble pas plaisanter, sa patience a des limites que Jean ne connaît pas. Il n'a encore jamais reçu de réprimandes de sa part, mais elle ne lui a surtout jamais donné envie de s'y risquer. Vu la taille des pognes de sa grand-mère, il valdinguerait à la première fessée.

Lucette est d'habitude plutôt une taiseuse. Elle ne gaspille pas sa salive en bavardages ni autres commérages. Qu'elle vienne d'enfiler cinq phrases de suite, à la vitesse où d'habitude elle monte les mailles de ses tricots, le désarçonne quelque peu. Le petit garçon soupire.

— Tu es triste, Jean ? Je pige bien. Mais ta mère n'est pas partie dans les tranchées, à ce que je sache. Elle est à Paris et revient te chercher dans quelques jours. Allez, c'est l'affaire de deux semaines tout au plus, tu l'as entendue toi-même. Alors, d'ici-là, je ne veux pas d'un pleurnichard sous mon toit.

Un pleurnichard ? Elle y va fort, Mémé.

— Pour commencer, tu vas t'habiller en vitesse. J'ai reprisé ta culotte et ton maillot de

22

corps. Ce n'était pas joli joli, tous ces trous aux genoux. Ensuite, tu vas me faire le plaisir de descendre chercher de l'eau pour te débarbouiller. Tu as la face noire : on dirait un pruneau perdu dans un far breton.

Jean cligne des yeux. Il est encore ébloui quand l'ombre de Lucette vient se planter à présent devant son matelas, les bras croisés.

— Oui, oui, tout de suite, Mémé Lucette ! répond-il du tac au tac.

Il se lève et enfile déjà ses habits. Ils sont tout raides, rugueux, et sentent le savon de Marseille. Il se dirige vers la salle de bains pour faire un brin de toilette avant de se souvenir qu'il doit d'abord aller remplir sa bassine.

Lorsqu'il revient de cette ascension fatigante, il est à peu près réveillé. Ses vêtements sont trempés de l'eau qu'il a renversée à chaque pas. Il n'est même pas tombé dans les escaliers, mais c'était moins une ! Sa grand-mère l'attend dans la cuisine, au-dessus de l'évier, armée d'un gant de toilette qui ressemble plutôt à un gant de crin.

Tandis que Jean se nettoie avec la langueur d'un chat, Lucette reprend les choses en main. Elle l'asperge d'eau glacée, saisit un torchon, puis le frotte aussi énergiquement qu'une casserole dans laquelle elle aurait raté un caramel.

— Fais-moi voir ça. Ce n'est ni fait ni à faire ! Sans parler de cette coupe de cheveux improbable avec des épis de partout ? Tu te prends pour un yé-yé ?

À part *La Traviata*, qu'elle peut écouter toute la journée en tricotant dans son *rocking-chair*, il n'y a pas grand-chose qui trouve grâce aux oreilles de Lucette.

Agenouillée à sa hauteur, elle le repousse pour faire le point et l'observer à son aise malgré sa presbytie. Elle laisse échapper un rictus timide qui, chez d'autres, se serait traduit par un franc sourire de contentement.

— Voilà qui est mieux. Tu n'allais quand même pas aller voir Pépé tout crotté ?

— Pépé Marcel ? Mais je croyais…

— De qui d'autre veux-tu que je cause ?

5

Cuisse de grenouille

La première chose à savoir sur Lucette, c'est qu'elle est d'une grande fidélité : elle visite les morts aussi souvent que les vivants. Jean préfère les vivants, car ils finissent toujours par lui offrir des cerises à l'eau-de-vie ou un café au lait avec une grosse part de tarte.

La vieille dame fait souvent des visites au cimetière. Toutes les semaines, en fait. C'est sa balade du dimanche – sauf que ce n'est pas le dimanche.

Lorsque Jean et Mémé Lucette quittent l'immeuble pour se rendre au cimetière, le soleil qui se lève est déjà chaud. Il n'y a pas un chat dans les rues. Jean aime bien sortir très tôt, quand personne n'est réveillé, surtout qu'à cette heure-là une bonne odeur de pain chaud émane toujours de la fabrique Magdelaine, située à cent mètres de chez Lucette. Jean a un faible pour les odeurs de toutes sortes. Dans l'usine, ils fabriquent des biscottes et des craquelins. Enfin, on dit « ils », mais c'est surtout « elles ». Des femmes aux doigts de fée.

L'été précédent, alors qu'il était en vacances chez sa grand-mère et s'ennuyait ferme sous la moiteur estivale, Jean était allé les espionner par une vitre entrouverte. Il avait été très impressionné par ces ouvrières qui travaillaient de part et d'autre du tapis roulant. Elles manipulaient des milliers de biscottes, le plus rapidement possible, les faisant avancer sur la machine sans jamais les casser et finissaient par les assembler dans de tout petits sachets. Quand Jean, lui, essaie d'extraire une biscotte du paquet, elles finissent toutes en miettes entre ses doigts.

De vraies magiciennes, ces travailleuses !

Ils poursuivent leur route, vers l'ouest, direction les hautes falaises qui surplombent la mer. Granville est une ancienne cité corsaire et, pour se rendre au cimetière Notre-Dame, ils aiment arpenter la Haute-Ville et ses maisons en granit, passer sous le porche au pont-levis et emprunter les ruelles pavées. Longeant les fortifications, ils débouchent sur les remparts du promontoire rocheux, qui domine la baie du

Mont-Saint-Michel. La vue depuis la falaise est à couper le souffle. Ils tournent le dos à la plage du Plat-Gousset et reprennent leur route vers la droite, au-dessus de l'ancien port morutier, en direction du cimetière, où ils vont rendre visite au grand-père de Jean, Pépé Marcel, et à son oncle, le petit Gabriel.

Le chemin est encore long. Jean se replonge dans ses pensées. S'il se souvient bien de ce qu'on lui a raconté, son grand-père n'a pas eu le temps d'avoir la vie dont il rêvait. Il voulait être professeur d'école, mais il avait été contraint d'accepter un métier très difficile au Gaz de France.

Un jour, il était rentré très fatigué du travail. Comme il avait eu du mal à respirer, il était allé s'allonger quelques instants sur son lit. Il ne s'était jamais relevé. C'était en 1954. Il avait 54 ans. Du coup, Jean n'a jamais eu la chance de connaître son grand-père.

Mais ce qui lui fait le plus bizarre avec Lucette, c'est quand elle parle de son oncle Gabriel comme d'un bébé. Il faut bien comprendre que l'oncle de Jean est plus jeune que lui. Il n'a même pas un an. C'est lié aux mathématiques, paraît-il.

Il ne faut pas que Lucette soit triste. Même si Gabriel était son premier enfant, elle en a eu sept en tout et ça suffit déjà bien comme ça, car, après, ça en fait du monde !

Lorsqu'ils parviennent enfin au cimetière, Lucette saisit un arrosoir, salue le gardien d'un discret signe de tête et se dirige sans hésiter vers un recoin isolé. Jean, lui, ne peut s'empêcher de s'extasier sur ce bout de paradis vert, qui surplombe la mer :

— Waouh ! Qu'il est beau, ce jardin, Mémé !

Une fois dans l'allée, elle sait ce qu'elle a à faire. C'est toujours la même rengaine : elle change les plantes, arrose les nouvelles et finit par un brin de causette.

Il ne faut pas longtemps à Jean pour identifier la tombe de ses proches : ce sont les mieux entretenues. Pour toutes les autres, il semble qu'elles ne soient fleuries qu'une fois l'an, sans doute à la Toussaint. Allez, deux fois pour les chanceux qui sont décédés à une date éloignée de novembre. Heureusement que les grands arbres et les belles allées donnent un charme à ce lieu reposant.

Ce qui frappe tout de suite Jean, c'est la façon qu'a sa grand-mère de s'adresser à Pépé Marcel et à son oncle Gabriel, comme s'ils étaient juste derrière le caveau des voisins en train d'arracher les mauvaises herbes.

— Décidément, aujourd'hui, vous ne manquez rien. Il ne fait pas très beau. Je sens que cet été va être pluvieux. J'ai toutes mes articulations qui se réveillent.

Jean observe Lucette converser tout en étant pliée en deux pour ramasser chaque pétale flétri et épousseter avec sa balayette la terre qui s'est répandue sur la pierre. Lui, reste immobile, subjugué par la minuscule tombe blanche surmontée d'un petit ange. Celle de son oncle Gabriel.

Il tourne alors la tête et constate qu'ils ont une belle vue sur la mer, où l'on devine quelques vieux bateaux à voile.

Ce doit être pas mal de finir ici...

Cela le fatigue de voir toute cette agitation de Lucette. Il s'assied, puis, sous le regard noir que lui lance sa grand-mère, se relève aussitôt.

— Mais voyons, ce ne sont pas des fauteuils ! Un peu de respect pour la famille Lebon ! Ce sont des gens charmants et très chrétiens. Je te rappelle que, sans eux, je n'aurais pas eu de potager ouvrier. Tu te rends compte : on serait obligés d'acheter nos patates. Aide-moi plutôt à jeter ces fleurs fanées. On croit rêver ! Les jeunes, je vous jure !

Lucette continue de bougonner. Jean, lui, n'est pas vexé pour un sou. Il fait des allers-retours avec les plantes, dont il se débarrasse dans les bennes prévues à cet effet, tout en chantonnant à tue-tête, sur une marche militaire. Il est gai comme un pinson.

Le lundi, des patates. Le mardi, des patates...
Et le dimanche, jour du Seigneur, on va manger
des patates au beurre !

Tandis qu'il revient, Lucette, en pleine conversation, arrose généreusement les nouvelles fleurs. Ne venait-elle pas de dire qu'il allait pleuvoir ? Jean tend l'oreille, car sa grand-mère se met à marmonner :

— Enfin, bref, on verra la suite, mais tu la connais, Marcel. Quand ? Comment ? On ne sait jamais avec elle. Allez, j'arrête de rouspéter. Je sais que cela ne te plaît pas : elle a toujours été ta petite protégée. Mais j'en ai assez de toujours me faire un sang d'encre à son sujet !

Lucette continue son inondation, la tête ailleurs, comme si elle souhaitait qu'ils se réincarnent en poissons. Jean intervient :

— Dis donc, Mémé, fais attention avec cet arrosoir ! Tu es en train de mettre de l'eau partout.

— Et ?

— Bah, ils sont en dessous quand même !

Lucette s'est arrêtée, net. C'est qu'il n'a pas tort, le petit.

— Allez, on y va, Jean. Au revoir mon petit Gabriel. À la semaine prochaine, Marcel.

Timidement, Jean attrape la main de Lucette et se retourne vers la tombe blanche :

— Salut ! À bientôt Tonton, à bientôt Pépé !
On va où maintenant, Mémé ?

— À la messe, pardi ! D'ailleurs, il ne faut pas
traîner, sinon on va être en retard. Et époussette-
toi un peu. Tu ne vas tout de même pas y aller
tout crotté ?

— La messe ? Mais on n'est même pas
dimanche ! rétorque Jean, ahuri.

6

Clopin-clopant

Sur le chemin de l'église, Jean est intarissable. Cette rencontre l'a retourné, il est plus bavard qu'une pie.

— Mémé, pourquoi tu vas tout le temps à la messe ?

— Pour honorer les morts, et les vivants.

— Et pourquoi tu vas au cimetière alors ? On pourrait aller uniquement à la messe, vu qu'on y honore aussi les morts…

— Jean, tu sais ce que c'est le catéchisme ? Le « caté », comme disent tes cousins.

— C'est lié au tiercé ?

Lucette manque de s'étrangler avec sa salive.

— Très bien, très bien. On va aller voir le Père Denis, dès aujourd'hui, après l'office.

Jean parvient à rester silencieux quelques secondes, quand il pose la question qui le tracasse vraiment.

— Mémé, il était grand comment, mon oncle Gabriel ? Parce qu'elle est sacrément minuscule, sa tombe ! Il faudrait pas qu'il soit tout plié dedans…

— Tu sais, c'était un bébé, alors il était tout petit : il n'avait que quelques mois.

— Ah, d'accord. Mais, Mémé, le bébé en photo au-dessus de mon matelas, dans le salon, c'est lui ?

— Oui, mon petit. C'est la seule photo de ton oncle que l'on ait gardée.

Tandis que Lucette ne veut pas s'épancher sur la mort soudaine de son premier enfant et sent que son cœur se serre à nouveau, Jean réfléchit : il n'est pas sûr de tout saisir.

— Mais c'est impossible ! Je ne comprends pas. Pourquoi Maman m'a dit qu'il était allé au ciel, si tu me dis qu'il est enterré à côté de Pépé ! Il faut choisir, sinon je ne pige plus rien. Il est mort de quoi, d'ailleurs ?

— De la grippe espagnole.

— Je déteste les Espagnols alors !

— On ne peut pas haïr comme ça, sans raison.

— Pas sans raison. Les Espagnols, ils tuent aussi les taureaux, non ?

— Oui, mais à cette sauce-là, on ne s'arrête plus : ce sera d'abord les Anglais, puis les Allemands ou les Japonais…

— Les « chats-poneys » ? répète-t-il songeur.

Jean ouvre la bouche à nouveau quand Lucette lui tend son cabas.

— Oh, tu m'épuises avec toutes tes questions. Prends donc le panier à provisions et avance en silence. Cela nous fera du bien à tous les deux !

— Oui, c'est vrai, parce qu'en plus je commençais à avoir un point de côté ! Ou peut-être que c'est le « lapin dicit » ! C'est de quel côté déjà, gauche ou droit ?

— Mais tais-toi donc !

— Non, mais ça peut être grave, Mémé. Je ne sais plus bien qui est mort de ça. Non, mais attends, c'était quelqu'un qu'on connaissait bien…

— Pendant que tu réfléchis, tourne ta langue sept fois dans ta bouche avant de nous donner la réponse : tu as compris ?

La technique de Lucette fonctionne. Pendant une bonne minute, Jean reste silencieux. Lucette en profite pour penser à l'excuse qu'elle va devoir trouver pour expliquer au Père Denis pourquoi sa fille n'a pas donné d'éducation religieuse au petit. Ce dernier, encombré par son cabas, qu'il traîne sur le sol, reprend :

— C'est qu'elle est vraiment raide, cette pente ! C'était plus facile en y allant. Il est mort de ça, Pépé, non ? Elle est encore loin, l'église ?

— Mais quelle pipelette ! Tu vas t'arrêter de causer, un jour ?

Jean essaie de tenir sa langue, mais il a bien du mal. Les questions se bousculent dans sa tête. Il n'a jamais compris, par exemple, qui est qui dans cette famille : à croire qu'ils le font exprès, ils s'appellent tous pareil ! François, Françoise, Paul, Paule, Lucien, Lucette, Michel, Michelle, Marie, Jean-Marie, Marcel, Marcelle, Jeanne et, lui, Jean.

Il a beau s'y perdre avec les prénoms, Jean adore sa grande famille. Pourtant il ne voit jamais ses oncles, tous marins ou militaires, qui travaillent loin, en Afrique ou en mer, comme son père – lui aussi marin-pêcheur : à croire que c'est obligatoire dans la région ou qu'ils sont tous pistonnés. Dans cette fratrie, ils sont gentils, courageux, jamais à se lamenter ou critiquer. Patriotes mais sans excès, besogneux mais pas querelleurs. Les fils de Mémé Lucette ne fréquentent ni les bars ni les lotos : du coup, le mouton noir de la famille, c'est le père de Jean (et un peu sa mère, par ricochet).

Son père était deux fois plus vieux que Marie au début de leur histoire (encore une histoire de mathématiques), et cela n'avait pas, mais alors pas du tout, plu à Lucette. Le père de Jean avait déjà bien vécu quand il avait rencontré Marie. Beaucoup même. Avec une autre famille. Et une femme, anglaise par-dessus le marché.

Jean aimait beaucoup son père. Il l'évitait seulement les soirs où il recevait sa paie et rentrait bien plus tard du bistrot. Le petit garçon s'arrangeait alors pour lui planquer sa ceinture. Les bretelles, ça faisait nettement moins mal au chien. Il en avait rarement après Jean, qu'il adorait. Il lui faisait plein de cadeaux saugrenus : la plupart du temps des animaux en tout genre – des fouette-queues, des phasmes, des perroquets, des geckos –, qui détruisaient tout sur leur passage. Il faut dire qu'ils n'étaient pas habitués à vivre en appartement.

C'était Marie que cela faisait bisquer. Et ils se disputaient tout le temps. Jusqu'à ce qu'elle pleure, crie, casse la vaisselle et que, lui, claque la porte de la maison, ou dernièrement balance tout ce qui se trouvait sur son passage, la main alourdie par l'alcool. Jean balayait ensuite tout le bazar : il faisait au plus vite tandis que sa mère était encore dans la salle de bains à pleurer. Il se disait que comme ça, quand elle ressortirait, elle oublierait plus rapidement la dispute. Sauf que, souvent, elle filait directement dans la chambre et faisait tout un tas de petits bruits, comme si elle remplissait, en secret, ses bagages. Jean allait se recoucher, seul. Il savait qu'elle finirait par venir s'allonger à côté de lui dans la nuit. Le petit garçon sentait bien que sa mère était très triste avec son père toujours en vadrouille à boire des coups avec des copains ou des copines, alors qu'elle l'attendait, seule, prisonnière de son appartement à garder propre, malgré les bestioles incontrôlables et son travail éreintant.

Jean appréciait les rares fois où son père venait le soir lui raconter ses péripéties en mer ou ses exploits de parachutiste pendant la Résistance. Il avait rejoint l'Angleterre de nuit, avec d'autres sur son bateau de pêche, en faisant une première étape à Jersey, sur les îles anglo-normandes en face de Granville. Jean était curieux d'entendre à nouveau la suite de ses aventures.

La curiosité est l'un des nombreux défauts de Jean, d'après Mémé Lucette, avec le poil dans la main et la rêvasserie. Entre autres. Distrait par ses souvenirs, Jean manque le minuscule caillou sur le trottoir et s'étale de tout son long, s'égratignant le menton. Lucette se retourne, lui lance un regard en biais, pose ses paquets, croise les bras, puis revient sur ses pas pour l'aider à se relever.

— Merci, Mémé.

— Regarde un peu où tu mets tes souliers, mon petit ! Tiens, prends ce mouchoir et appuie très fort sur ton menton.

Jean se fait la réflexion qu'il est drôlement joli, le mouchoir de Mémé Lucette, avec ses petits carreaux jaunes et blancs. Elle en a toujours une ribambelle, bien pliés en carré, qu'elle peut sortir de ses poches à n'importe quel moment. Comme une magicienne !

— Dis donc, mon petit bonhomme, tes guibolles, c'est du chewing-gum. Les miennes sont plus robustes. Il faut les renforcer. Tu vas t'occuper d'aller chercher l'eau tous les jours, tu verras, elles disparaîtront, tes cuisses de grenouille. À quoi réfléchissais-tu ?

— À rien…

— C'est vrai, ce mensonge ? interroge Lucette, dubitative.

— Oui, enfin, non… Je pensais à mon père.

— Tiens, aide-moi plutôt à porter un sac encore.

Jean prend le plus léger et continue de marcher.

— Oublie-le. Rien de bon ne peut venir de lui, ni pour toi, ni pour ta mère.

— Mais tu crois que Maman et Papa, ils vont se remettre ensemble ? Ils me manquent…

— Mon petit Jean, tes parents se sont quittés, fâchés en plus. Tu vivras désormais avec Marie, quand elle sera installée. Ta maman vous cherche un joli petit endroit rien que pour vous deux. Alors, si ton père t'approche, vu que Saint-Pair-sur-Mer n'est pas bien loin de Granville, tu me le dis tout de suite : je lui ferai passer son envie de revenir, à cette brute assoiffée. Tu peux me faire confiance.

Le petit garçon la croit sur parole. Mémé ajoute tout bas, pour elle-même :

— On n'a pas idée de choisir aussi mal le nom de sa commune ! Saint-Pair, il a de l'humour, celui-là !

Comme tous les enfants, Jean n'est du côté de personne. Il a bien compris que ça n'apporte rien de bon. Seulement, à cet instant, il se rend compte que toutes ces disputes vont changer sa vie et l'éloigner de son père pour toujours. Jean ne peut s'empêcher d'en avoir gros sur le cœur.

7

Tiens, voilà du boudin !

Cela fait une sacrée trotte de rejoindre l'église Saint-Paul. Lucette n'est pas une rigolote, mais a une bonne foulée. Jean suit comme il peut et tombe d'inattention régulièrement. Lucette ne se retourne plus pour lui demander si tout va bien. Même si elle ne veut pas le montrer, Jean sait qu'elle a tout de même bon fond.

Enfin, on dit que Mémé a des jambes solides, mais ce n'est pas tout à fait vrai. Elle porte toujours ses grosses chaussures en cuir noir, de type orthopédique, car elle a un problème à la hanche depuis presque toujours. Elle ne veut jamais reparler de ses mauvais souvenirs de la polio, ni des hôpitaux, qu'elle déteste désormais. Si on regarde bien ses godillots, on aperçoit que le pied droit a deux pointures de plus que son pied gauche.

Du coup, Lucette boite toujours un peu, mais ce n'est pas ça qui l'arrête. Elle ne fait de pauses que pour ramasser Jean qui, telle une araignée saoule, emmêle ses pattes à tout bout de champ.

Posté devant l'église, Jean lève la tête d'admiration. Et il y a de quoi. Ce n'est pas une simple chapelle : la bâtisse est impressionnante par sa taille, son haut clocher, son dôme et tous ses vitraux. Et d'une blancheur !

Il entre et c'est tout aussi lumineux.

— Viens voir, Mémé, comme c'est beau dedans ! Elle vaut le détour !

Lucette, qui la connaît comme sa poche, reste en retrait sur le parvis : elle semble attendre que quatre énergumènes sur leur trente et un la rejoignent. Jean jette un œil : ils lui disent vaguement quelque chose. L'odeur d'encens lui titille les narines. S'il avait su qu'il y trouverait cet arôme, il s'y serait aventuré bien plus tôt.

Sa grand-mère le rejoint à l'intérieur et lui prend des mains le cabas qu'il continuait de tirer bruyamment. Elle trempe ses doigts dans le bénitier et se signe. Jean, incrédule, l'imite.

— C'est drôlement froid, dis donc !

Ils prennent place sur un banc situé à leur gauche. Le petit garçon ne peut s'empêcher de humer de toute part pour s'enivrer de l'odeur suave de la résine. Comme son nez s'est habitué à la note d'oliban, il redouble ses reniflements, agaçant Lucette qui lui demande de se tenir correctement.

— Arrête un peu. Tu n'es pas un chien truffier à ce que je sache ! Nous sommes dans la maison de Dieu, nom d'une pipe !

Jean se redresse quand, tout à coup, il se fait coller par trois grandes « saucisses », les mêmes qui ont salué sa grand-mère dehors. Il se penche pour chuchoter à l'oreille de Lucette :

— Mais c'est qui, ceux-là ?

Au même instant, celui à sa droite le chatouille :

— Alors, cousin, toi aussi, tu es en vacances ? On se retrouve à la plage tantôt ?

Ses cousins, bien sûr !

Son cerveau pédale dans la choucroute à la recherche de leurs prénoms : il ne les a pas vus depuis des lustres. La dernière fois, ce devait être pour un Noël ou le Carnaval. Ne serait-ce pas Gontran, Gonzague, Guy ? Quelque chose de ce genre-là.

Arrive alors le quatrième larron. Jean n'a aucun doute quant au prénom de la belle dame très élégante :

— Tante Françoise !

Il se lève et l'enserre fort. Elle sent bon le savon à la lavande mêlé à l'odeur du pain perdu.

— Mon Jean chéri, cela fait si longtemps. Comme tu as grandi. Tu te souviens de tes cousins ?

Devant la moue honteuse du petit, elle lui caresse les cheveux et les désigne un par un, du plus grand au plus petit :

— Gabin, Gautier et Gustave !

— Ah oui, je me rappelle maintenant !

Encore une fois : des prénoms tous pareils, mais tous différents. Enfin, pas suffisamment pour qu'il les retienne. Ce sera « les garçons », comme le fait certainement leur mère.

Françoise, susurre-t-il dans un soupir.

S'il n'a pas le droit d'être amoureux de sa mère, Jean est d'accord pour se marier avec sa tante. Elle est plus âgée que Marie, mais encore très jolie à son goût. C'est une affaire ! C'est vrai qu'elle a déjà un époux, Alfred, mais comme il est militaire, lui non plus n'est pas souvent là, et ça ne devrait pas trop le déranger.

Avant de rencontrer son mari, Françoise a eu la chance de faire des études et de les réussir. À l'école, elle a même sauté une classe. Elle a toujours voulu venir en aide aux autres et elle a décidé de devenir infirmière. Elle arrive à choisir ses horaires pour concilier sa vie de femme au foyer, de mère et de soignante à l'hôpital. Françoise est l'exemple parfait de la femme moderne des années 1960, qui sait allier tradition et progrès.

Le Père Denis commence la messe, Jean observe sa tante par coups d'œil furtifs. Il ne prête aucune attention à ses cousins, qui gesticulent dans tous les sens pour attirer son regard, ni même à Lucette qui s'obstine à lui tendre le livret de messe.

Il avait oublié à quel point elle était belle ! Cela lui paraît incroyable d'imaginer qu'une vieille mémé aux cheveux tout gris puisse enfanter deux filles, toutes les deux très jolies, mais tellement différentes : l'une blonde, Françoise l'aînée (née deux ans après son oncle Gabriel), l'autre brune, Marie la benjamine. Quand les frères cadets sont, eux, châtains. Cette fratrie lui fait penser aux couvertures patchwork que Mémé confectionne parfois, avec assez peu de bon goût.

Françoise n'a pas besoin de réprimander les grimaces de ses fils. D'un mot tendre, elle se fait comprendre, et ils obéissent immédiatement.

Lorsque vient le moment du recueillement, Jean se reconcentre. Tante Françoise, Lucette ou ses cousins n'existent plus. Il n'y a, à nouveau, que Marie qui le hante. Dans sa prière, Jean ne demande rien d'exceptionnel : juste que sa Maman revienne très vite, si possible dès le lendemain, le temps qu'il s'amuse un peu avec ses cousins. Il souhaite revivre avec elle, sans son père, d'accord, mais en famille. Il en a besoin, il ne peut pas s'enterrer ici avec Lucette à aller au cimetière ou à la messe presque tous les jours. Sa place est auprès de Marie.

La cérémonie terminée, Lucette se lève et va saluer le Père Denis. Tous les deux se retournent un certain nombre de fois à épier Jean, qui rigole avec ses cousins sur le parvis. Il a hâte d'aller jouer avec eux.

Lucette le rejoint en claudiquant.

— Le Père Denis accepte de s'entretenir avec toi après le déjeuner, Jean.

— Non, cet après-midi, on doit retrouver Tante Françoise à la plage.

— Comment, « non » ? Attention, tu files un mauvais coton, toi ! Le Père Denis fait l'effort de te voir au dernier moment, tu iras, je peux te le dire, mon petit bonhomme. On commencera par ça, ensuite on rejoindra tes cousins à la plage.

La grand-mère et le petit-fils sortent de l'église. Dehors, il pleuviote. Lucette sort un capuchon transparent qu'elle positionne autour de sa tête et noue sous son cou. Jean se moque bien de ces gouttes qui lui ruissellent dans les yeux.

— Mais pourquoi il veut me parler, le Père Denis ? Je n'ai rien fait.

— Justement ! conclut Lucette en s'éloignant en direction du Calvaire. En route, mauvaise troupe !

8

La maîtresse en maillot de bain !

Sur la plage du Plat-Gousset, au pied de la vieille ville, les cousins sont heureux de se retrouver cet après-midi-là.

— Alors il te voulait quoi, le Père Denis ? demande Gautier, le frère cadet, à Jean, qui semble soulagé après sa rencontre avec le prêtre et repu par le bon déjeuner de sa grand-mère.

— Je ne sais pas vraiment, il m'a posé des questions sur Papa et Maman, puis sur le petit Jésus. J'ai inventé des réponses : je crois qu'il était content.

— Il fait peur, non, ce prêtre ! Il me fait penser à cet acteur américain dans ce film, là, qui vient de sortir… continue Gustave, le petit dernier.

— Tu ne retiens rien, toi ! le dispute Gautier. Il s'appelle Clint Eastwood, et le film, c'est

Le Bon, la Brute et le Truand. C'est un western. Le Père Denis est grand comme le héros, il doit bien faire deux mètres. Avec lui, au caté, on est obligé de se tenir à carreau.

— Oui, quand il te pose une question vraiment difficile et que tu cherches tout au fond de ton crâne, tu l'entendrais presque te dire, comme dans le film : « Dans la vie, il y a ceux qui tiennent un flingue, et ceux qui tiennent une pelle. » Et moi, devant le Père Denis, j'ai la pelle ! répond Gustave.

— Mais tu mélanges tout ! C'est ta cervelle qu'il faudrait que tu creuses ! conclut Gautier.

Jean ne sait absolument pas de quoi ses cousins parlent, mais, apparemment, ils ne l'ont pas vu qu'une fois, ce film. Si, lui, n'a jamais mis les pieds au cinéma, il semblerait qu'eux y aillent très souvent.

— Donc, tu es débarrassé du Père Denis ? questionne Gustave.

— Oui. C'était de la gnognotte, finalement. Lucette en faisait tout un fromage. Je le verrai juste à la messe. De toute façon, je ne reste que quelques jours encore à Granville. Après, je vais rejoindre Maman à Paris : il a dû penser que cela ne valait pas la peine.

— Ou alors que tu es une cause perdue, plaisante Gabin, installé sur sa serviette de plage.

Les discussions de ses petits frères et de son jeune cousin n'intéressent pas ce grand dadais de 13 ans, qui préfère lire des bandes dessinées. Il est plongé dans un album d'Achille Talon.

— Donc pas de caté pour toi cet été, félicite Gustave. Bien joué. Tu as de la chance. Ça aurait été la barbe de ne pas se voir tous les jours ! Allez, fais voir tes calots.

Jean reste dubitatif. Il n'a pas de jouets à lui, ni même quelques billes. Tout ce qu'il possède a été mis dans une petite valise blanche une nuit et elle n'est pas bien remplie.

Devant la tête décontenancée de son cousin, Gautier reprend :

— Ce n'est pas grave, on va dire que Gustave t'en donne deux, et moi aussi, comme ça, on en aura tous le même nombre. Tu as compris les règles du jeu ?

Les cousins ont construit un circuit sur le sable mouillé, avec des tunnels, des ponts, des cours d'eau à traverser, des bâtons pour faire des obstacles. La bille doit rouler sur tout le parcours en un minimum de pichenettes. Cela ne semble pas bien sorcier.

Avant de débuter, les trois frères se mettent en tenue. C'est du sérieux ! L'un après l'autre, ils sortent des casquettes et des tee-shirts sponsorisés du Tour de France, avec toutes les marques que Lucette déteste : la bière Pelforth, Esso, *L'Équipe*, *Le Parisien*, la limonade SIC et le pastis Ricard – tous les gadgets du Tour de France qu'ils collectionnent d'une année sur l'autre.

Ce ne sont plus des billes qui s'avancent sur la route sableuse, mais des coureurs cyclistes, ceux que ses cousins ont suivis tout juillet en écoutant le Tour de France sur Europe Numéro 1.

— Tu sais qu'ils ne sont pas passés loin de chez nous, cette année ! Ils ont fait une étape à Dinard. On y est allés avec Maman, même si on a eu très peur que la voiture ne démarre pas. Elle fait des siennes en ce moment, la 2 CV. Heureusement, on est arrivés juste à temps pour voir passer la caravane et on a eu plein de trucs gratuits. Il faut dire qu'on avait fait les choses bien : avec notre banderole et tout, ils nous ont fait passer devant pour que l'on soit retransmis à la télévision. On était au premier rang, c'est comme ça que l'on a récolté tous les cadeaux !

— Vous avez une voiture, vous ?

— Bah, oui !

— Tante Françoise sait conduire ?

— Mais tu viens d'où, cousin ? Enfin, bref. Tu soutenais quel pays toi ? Moi, j'étais pour l'Espagne, et ils ont gagné !

Jean savait bien qu'il avait raison de ne pas les sentir, ces Ibériques. Il fait une drôle de moue.

— Mais tu n'as pas suivi ? Tu ne sais pas ce qui est arrivé à Raymond Poulidor ?

Gautier prend sa plus belle bille, la place au début du parcours et mime la scène de la 15ᵉ étape :

— Poulidor, Poulidor, attention ! Nooonnnn ! Ce n'est pas possible. Il a été heurté par la moto-cyclette du Tour. Et il chute. Quelle violence de l'impact ! Poulidor semble sérieusement blessé. Il y a du sang partout. Oui, chers auditeurs, je peux vous le confirmer, c'est la tête, la tête a été touchée. Nous ne voyons pas comment, dans ces conditions, il va pouvoir continuer la course aujourd'hui, ni même le Tour. Oui, c'est confirmé par nos collaborateurs sur place, le favori du Tour abandonne. Je répète, Poulidor blessé, condamné à abandonner cette 55ᵉ édition du Tour de France. Coup dur pour l'équipe de France. Tout le pays est sous le choc ! 1968 ne sera pas non plus l'année Poulidor. Quel gâchis !

— Et donc, Jean, tu ne sais pas qui a gagné ?

— Non. C'est grave ?

Jean écarquille grand ses mirettes. Comme des billes.

— Jan Janssen. Ce qui est cocasse, c'est que, ce Hollandais, il remporte le Tour sans jamais avoir été Maillot jaune. Depuis 1947, c'est histo-rique !

— Enfin, il gagne avec seulement 38 secondes d'avance sur le second.

— Arrête ton char, Gustave ! Il n'y a que le vainqueur qui compte !

Tel un spectateur dans une partie de tennis, Jean observe ses deux cousins se renvoyer leurs analyses de cette édition du Tour : ils semblent en désaccord sur tout, et Jean se gardera bien de les départager. Il ne comprend rien de ce qu'ils se racontent. Ce n'est pas avec sa mère qu'il aurait suivi les déboires de cyclistes en plein été. La seule fois où il a écouté une étape du Tour à la radio, c'était avec son père, et ils se sont endormis tous les deux.

Pendant ce temps-là, épiant les garçons d'un œil et les femmes qui osent le bikini de l'autre, Françoise et Lucette causent de tout et de rien. Enfin, surtout des conséquences des révoltes de Mai 1968, qui viennent de s'achever. Sur leurs genoux, elles ont chacune un chandail, qu'elles tricotent tout aussi naturellement que si elles respiraient.

D'après Lucette, ce sont les derniers événements du printemps qui ont poussé Marie à prendre sa décision de tout quitter pour aller tenter, elle aussi, sa chance à Paris. Depuis un moment, elle en avait marre de faire la « bobonne », comme elle disait. Et tant pis si cela choquait l'autorité, la famille, la morale ou la religion établies.

— Si tout ce bazar me permet d'augmenter, ne serait-ce qu'un peu, mon salaire à la fin du mois, je suis preneuse, déclare Françoise. On ne peut pas dire que l'on roule sur l'or avec ce que je gagne à l'hôpital.

— Ce qui est sûr, c'est que ces accords de Grenelle ne changeront rien à la pension que je reçois depuis la mort de ton père, malheureusement, poursuit Lucette. En plus, en ce moment, on est deux. J'arrive à peine à acheter quelques bouts de viande par semaine. On a encore mangé un gratin de patates tout bête à midi. Ce n'est pas comme ça qu'il va se remplumer, le petit : regarde ses genoux tout cagneux et égratignés – il passe son temps à se casser la figure, celui-là. Il est loin le bon temps des rognons, de la langue de bœuf ou de la volaille le dimanche.

— Venez dormir à la maison pour le pont de l'Assomption. Le frigidaire sera bien rempli et je voulais justement faire un bon poulet : quand il y en a pour quatre, il y en a pour six. En plus, ce sera moins fatigant pour vous de coucher chez nous, je suis bien plus proche de l'église.

— Ce n'est pas de refus. Merci Françoise, j'apporterai un savarin. Je le ferai au kirsch, Jean n'aime pas trop le rhum.

— On regardera *Belphégor*, ils le rejouent sur la Première chaîne samedi soir. Cela fera plaisir aux petits.

— Je n'aime pas la télévision. Je prendrai mon tricot.

— L'été file si vite, dire que l'on est déjà mi-août. Dans un mois, c'est la rentrée. D'ailleurs, j'ai lu dans le journal qu'ils instaurent, dès septembre, la participation des élèves et des parents au conseil de classe. Je ne suis pas sûre d'avoir le temps de me porter volontaire.

— Mais ils n'ont pas plus nigaud comme idée ? interroge Lucette. L'école n'est pas déjà assez permissive pour que l'on prenne maintenant en compte l'avis des élèves ? Je me demande dans combien de temps la ville va rendre obligatoire la mixité dans les écoles primaires. Encore une autre malédiction en préparation ! Si on n'a pas fait comme ça par le passé, c'était pour une bonne raison : les filles n'ont pas à apprendre la même chose que les garçons. Que feraient-elles des mathématiques, de toute façon ? Et tes fils, tu les vois en cours de couture ? Ils ont déjà du mal avec le catéchisme…

Françoise reste silencieuse : elle n'est pas d'accord avec sa mère. Si l'on continue d'éduquer les fillettes ainsi, on fabrique une nouvelle génération d'inégalité, avec la ménagère d'un côté, et

M. Tout-puissant de l'autre. Elle aborde alors un autre sujet, délicat :

— Tu as eu des nouvelles de Marie depuis qu'elle est partie ? Moi, rien du tout.

— Non, et je ne sais même pas où elle dort. J'essaie de me dire que c'est une grande fille débrouillarde, mais je ne peux m'empêcher de me faire du mouron.

— Et on sait où Jean va faire sa rentrée ? À Paris, ou… ici ?

— Dieu seul le sait, ma fille.

9

Mystère et boule de gomme

À Paris, Marie cherche un emploi de serveuse. Elle s'apprête à la dernière mode comme les stars de cinéma, pour être la plus jolie, celle à qui l'on accorde toujours les pourboires les plus généreux. Être celle que l'on remarque, pour son minois, pour son joli brin de voix. Pour être la préférée, comme elle l'a toujours été pour son père.

Marcel a été gaga de ce petit miracle que la vie lui a réservé, un soir d'hiver 1940. Il la chouchoutait plus que les autres, lui passait tout. Et cela déplaisait à Lucette, qui refixait aussitôt les limites.

Entre les deux femmes, il y a rapidement eu de l'animosité, parfois presque une forme de rivalité. Marie ne pouvait s'empêcher d'enfreindre les règles : elles étaient bonnes pour ses frères et sa sœur, qui avaient accepté d'être de bons béni-oui-oui ! Alors qu'aucun d'eux n'a jamais eu d'ambition, elle a constamment aspiré à une vie qui ne suivrait pas le chemin que l'on avait tracé pour elle. Une vie plus grande, exceptionnelle, ou au moins différente, car elle l'était : Marie avait toujours eu la sensation d'être le vilain petit canard, de ne pas se reconnaître dans cette famille.

Dès 14 ans, Marie fume. Elle enchaîne cigarette sur cigarette, depuis qu'elle a perdu l'homme de sa vie : son père. Celui qui l'appelait sa « petite beauté ». Encore une fois, elle est la seule de la famille à vouloir être dans le coup. Ses frères ont choisi la pipe. Quels benêts ! Puisque son père n'est plus là, elle cherche, dans le regard des hommes plus âgés, l'admiration qu'elle lisait auparavant dans ses yeux.

Marie fréquente les bistrots, se fait offrir une cigarette, un verre, puis une danse. Mais c'est toujours elle qui choisit la musique. Si sa mère la voyait, elle la répudierait sur-le-champ. Les bars sont interdits dans la famille. L'alcool a détruit suffisamment de générations précédentes pour ne pas jouer avec le feu. Mais Marie est pyromane en amour et un rien avec elle met le feu aux poudres.

À partir de son adolescence, Marie prend conscience qu'elle est belle. Elle est admirée par les femmes autant qu'elle fait tourner la tête des hommes. On la courtise et elle minaude. Un jour, elle choisira le bon, le meilleur prétendant, celui qui la fera sortir de sa classe sociale de bas étage. Elle ne veut pas d'une vie moyenne, elle aussi a droit à son conte de fées pour adultes.

Elle ne veut pas non plus se plier aux désirs d'un mari. Ils seront amoureux, égaux et libres. Peut-être artistes. En tout cas, son futur époux, elle ne le trouvera pas à la messe où sa mère la tire tous les dimanches et la présente à tour de bras. Ni chez le boucher.

À Granville, sa vie n'a pas encore commencé. Ses journées sont rythmées par l'école, puis l'aide qu'elle donne à sa mère pour les tâches ménagères : elle est la dernière des enfants à encore habiter le nid. Le destin de sa sœur ne la fait pas rêver pour un sou : à peine majeure et déjà mariée avec deux enfants. N'y a-t-il pas une autre existence possible ? Faite de fêtes ? De cinéma ? De discothèques entre amis ? Sans tout de suite laisser les choses devenir sérieuses. Le monde bouge autour d'eux et, eux, choisissent l'immobilité.

Marie et l'école, ça a toujours fait deux. Les mathématiques et elle ont toujours été fâchées.

Elle n'a jamais aimé les cours de couture ni de comptabilité domestique. C'est comme ça. Elle fait tout pour se distinguer de ses camarades de classe, qui sont de gentilles filles que l'on éduque comme de parfaites femmes au foyer. Leur vocation à toutes. Sauf à elle. Même si cela doit déplaire à sa mère, Lucette.

10

Soupe à la grimace

Ce premier mois sans Marie a été chargé : entre les visites au cimetière, les messes, la rencontre express avec le prêtre, les après-midis de plage avec les cousins, Jean tombe de fatigue chaque soir. Assis à côté de sa grand-mère autour de la petite table de la cuisine en formica jaune, il peine à suivre les rebondissements de l'enquête policière qu'ils écoutent à la radio pendant qu'ils dînent.

— Ton coude, Jean. Tu n'aimes pas mon potage ?

— Si, mais je n'ai plus trop faim, Mémé. En plus, comme tu as fait un dessert, je voudrais garder un peu de place.

— Reprends-en quand même, mon petit. Il vaut mieux faire envie que pitié !

Quand elle utilise « mon petit », le garçon sait qu'il n'y a pas à négocier. Il se ressert une louche de soupe en inspirant bien à fond, comme pour agrandir son estomac. Sur le côté, le riz au lait l'encourage silencieusement. *Elle est vraiment délicieuse !* Il pourrait en manger tous les jours. Ça tombe bien, c'est ce qu'a prévu sa grand-mère au menu de la semaine.

Lucette n'a pas beaucoup de sous, les repas sont simples, mais riches d'amour. Cela doit être ça, « le secret » des recettes de grands-mères. Elle arrive à faire tenir une soupe Maïzena deux ou trois jours. À la fin, elle est de plus en plus liquide, mais, réchauffée avec des morceaux de pain dur, c'est toujours un délice. Et ça tient au corps !

Lucette est une excellente cuisinière. Avec elle, c'est toujours du fait maison. Le dimanche, quand elle reçoit de la famille, elle prépare géné-ralement un poulet, avec de petites pommes de terre dorées au four, puis un dessert tout chaud : soit un gâteau de Savoie, soit un far breton, soit un savarin. Enfin, c'était au bon vieux temps, à l'époque où elle arrivait à mettre deux sous de côté, pour les grandes et petites occasions.

Le soir, place du Calvaire, tous les habitants de l'immeuble écoutent France Inter sur leur transistor : il y a toujours des histoires de crimes racontées par des gens du théâtre, ou parfois même par des vedettes de la télévision. Lucette n'aime pas le montrer, mais elle frissonne à chaque fois que la musique fait monter le suspense.

Ce soir-là, en se couchant, Jean est heureux. La matinée avec Lucette et l'après-midi avec ses cousins lui ont vraiment plu. Il cherche à s'endormir quand ses yeux butent sur le crucifix accroché au mur d'en face : il repense à sa prière à la messe et la réitère.

Très bientôt, Maman, on s'era à nouveau ensemble. Croix de bois, croix de fer, si je mens, je vais en enfer !

Dehors, il s'est remis à pleuvoir. L'intensité redouble. La bruine se transforme en orage violent. Jean s'en fiche bien, il est à l'abri. Mais l'est-elle, Marie ? Que fait sa Maman en ce moment ? Où dort-elle ? Il ne peut pas recevoir d'appel ici. Peut-être lui a-t-elle écrit une lettre ? Il demandera au facteur. Le mieux serait qu'elle revienne le chercher dès le lendemain. Voilà ce qu'il souhaite le plus au monde.

Jean s'endort, le sourire aux lèvres, son nounours dans les bras, en s'accrochant à cette idée.

11

Faire un boucan de tous les diables

La nuit est déchirée par des éclairs de plus en plus rapprochés. Dans la rue, il pleut des trombes et le tonnerre ne cesse de gronder. Soudain, on frappe à la porte de l'appartement : tout doucement d'abord, puis de plus en plus fort.

Jean se retourne, il essaie de se rendormir et d'oublier le bruit sur le palier, quand il comprend :

C'est elle ! C'est sûr, cela ne peut être qu'elle !

Il a bien fait de prier. *Merci, petit Jésus.* Peut-être que c'est grâce au Père Denis aussi. Merci, *M. Eastwood.*

Il s'assied sur son matelas et guette cette porte sur laquelle on continue de s'acharner.

Et si ce n'était pas elle, mais des voleurs…

Il commence à avoir peur. Il se réfugie derrière le divan, lorsqu'il voit la silhouette blanche de sa grand-mère se pencher vers le judas et ouvrir presque aussitôt.

Jean s'incline, mais ne voit rien derrière la chemise de nuit gigantesque de Lucette. Elle porte une blouse bordée de dentelle et un bonnet de nuit pour maintenir ses cheveux, qu'elle a longs et détache seulement au coucher. Jean ne l'a jamais vue ainsi.

D'habitude, Lucette porte sa sempiternelle robe-tablier, avec tous ces petits boutons sur le devant. Elle en a plusieurs, à rayures blanches ou à grosses fleurs grises, toutes bleu marine. D'un sinistre ! Jean ne sait jamais si sa grand-mère est en tenue de cuisine ou de ville.

Lucette en a même une spéciale, noire, pour le dimanche, pour être chic à la messe. Quand elle se rend à l'église, elle met aussi de la poudre de riz sur son visage et resserre un peu plus son chignon bas. Mine de rien, Lucette est coquette.

Même si Pépé Marcel est mort depuis longtemps, elle garde toujours son alliance en or jaune, accompagnée de ses petites boucles d'oreilles en or rose, avec une broche assortie, un camée de nacre, et ne se sépare jamais de sa médaille de la Vierge en argent. Pas de pacotille chez Lucette.

Derrière sa grand-mère apparaît une autre dame fripée en chemise de nuit blanche. Jean hésite entre une réunion du club du troisième âge et un rassemblement de fantômes. Lucette indique à l'intruse sa chambre, tandis que Jean voit débarquer droit sur lui une fillette de son âge, très grande et maigre, avec deux longues nattes blondes et une liquette fleurie, qui plonge directement sur son matelas.

Il reste assis, stoïque, légèrement perturbé que personne ne l'informe de ce qui se passe. La petite fille à côté de lui semble déjà se rendormir : elle a pris la couverture en crochet pour elle et s'octroie toute la place sur son matelas.

Elle ne manque pas d'air, celle-là !

Il veille le retour de Mémé, mais n'entend que le double ronflement sonore des deux vieilles dames qui partagent le grand lit de la chambre.

Il faudra lui expliquer. Depuis quand peut-on s'inviter comme cela chez Lucette en plein milieu de la nuit ? Il pensait que cela lui était réservé.

Il se recouche, droit comme un piquet, avec seulement une fesse sur le matelas, triste que cette irruption n'ait pas été celle qu'il attendait. Loin de là.

Quelle sans-gêne, cette gamine !

Quelques dizaines de minutes plus tard, Jean se prend une première claque accidentelle en pleine figure. Il se retourne en bougonnant. Puis, lorsqu'un éclair illumine tout à coup le salon, la fillette hurle et se jette dans ses bras, terrorisée. C'est la goutte d'eau qui fait déborder le vase : il est exaspéré.

Non mais quel bébé !

Alors que l'orage gronde furieusement au-dessus de leurs têtes, Jean est pris d'une certitude : la nuit va être longue, très longue !

12

Les Anglais débarquent !

Le lendemain, le bilan de la nuit est sans appel : cela n'a pas été de tout repos. Comme en témoignent les cernes du petit garçon, Jean a dû supporter l'agitation de la fillette à chaque fois que l'orage reprenait de plus belle, et a dû accepter, contre mauvaise fortune bon cœur, qu'elle s'accroche à lui dès que cela tonnait.

Jean roulerait bien des mécaniques en assurant à qui veut l'entendre que lui n'a même pas eu peur, mais, autour de la table de la cuisine, l'ambiance est pesante. Ce n'est pas le moment de faire le malin. Il joue avec la boîte de Banania, en grignotant son craquelin, et observe la gamine qui s'est approprié la majeure partie de son matelas. Personne ne parle pendant l'intégralité du petit déjeuner et, une fois avalé, les deux inconnues repartent sans un mot. Comme si de rien n'était.

Lorsque la porte se referme, Jean se plante devant Lucette et lui lance, fâché :

— J'aimerais bien que l'on m'explique quand même !

— Quoi donc ? demande sa grand-mère étonnée.

— Qui elles sont, pour commencer ? Et pourquoi elles s'invitent en pleine nuit ?

— Ce sont les voisines du dessus, celles du dernier étage. Tu n'as pas reconnu Mme Bellanger et la jeune fille qu'elle élève, Anita ?

— Pourquoi débarquent-elles comme ça ? Ça ne te dérange pas, une mémé qui ronfle dans ton lit ? Moi si !

— Mme Bellanger n'est pas une mémé et elle a une bonne raison de venir. Elle a peur des orages et d'à peu près tous les bruits qui tonnent au-dessus de sa tête. Elle a connu les bombardements à Granville en 1944 et, depuis, elle est traumatisée. Elle a pris l'habitude de descendre se réfugier chez moi avec Anita les soirs d'orage. Cela doit être contagieux, car la petite a tout aussi peur.

— C'étaient quoi, ces « bombardements », Mémé ?

— Tu n'as pas besoin de savoir ce genre de choses, mon petit.

— Pourquoi donc ? Mon père a été un héros de guerre, à ce qui paraît, mais je ne sais même pas de quelle guerre on parle !

Devant la mine boudeuse de Jean, elle se met à raconter, dans les grandes lignes :

— Tu sais que les Américains ont débarqué en 1944 par la Normandie. Granville était alors occupée par les Allemands. Pour préparer au mieux la libération de la ville, cet été-là, les Américains ont décidé de bombarder les sites stratégiques qui se trouvaient aux mains des Allemands. Ils en ont identifié deux, le port et la gare. Et ils se sont acharnés. Ils visaient notamment les bunkers autour des voies, où les ennemis protégeaient le matériel déchargé directement des trains. Viens voir, Jean.

Tous les deux regardent à travers la fenêtre de la cuisine.

— La gare est juste là, à moins de 100 mètres. Tu vois ce bâtiment, et celui-là, juste à côté. Ils ont été complètement rasés par les bombes, avec des familles de Granvillais dedans. Mme Bellanger se trouvait dans notre immeuble, juste au-dessus : elle a cru qu'elle allait y passer.

— C'est horrible ! Mais je ne comprends pas : c'étaient des gentils ou des méchants, ces Américains ?

— Des gentils, quand même.

— C'est normal alors que Mme Bellanger ait eu peur.

— Surtout qu'à l'époque Mme Bellanger avait… 6 ans. Comme toi aujourd'hui. Tu n'aurais pas eu peur, toi ?

— Je pense que si, j'aurais eu les chocottes.

— Et puis, pour ta gouverne, même aujourd'hui, ce n'est pas une mémé, Mme Bellanger. Elle a quasiment l'âge de ta mère.

— Bah, dis donc, ça ne lui réussit pas d'avoir la trouille ! Elle est comme toute fripée.

Lucette retourne à ses occupations, laissant Jean songeur, à regarder les trains stationnés.

— Mémé, dis-moi, la gare fonctionne encore ?

— Oui, le train va directement à Paris jusqu'à la gare de Montparnasse : c'est par là que ta mère est partie, et c'est par ce train, je suppose, qu'elle reviendra.

— On fait quoi aujourd'hui ? Je suis assez fatigué, moi.

— Ça tombe bien : on va se reposer un peu. Allons jardiner !

13

Pas piqué des hannetons

Une fois débarbouillé, Jean accompagne Lucette au potager ouvrier : ils ont quelques légumes à cueillir et des patates à ramasser. À la mort de Marcel, Lucette s'est vu accorder par la commune une parcelle pour y cultiver elle-même de quoi se nourrir, ses revenus étant aussi maigres que ceux des travailleurs des usines. Jean n'est encore jamais venu dans cet endroit : *c'est magnifique, tous ces petits alignements de légumes.* Il s'imaginerait bien être un lapin ou un escargot pour jouer à cache-cache entre les herbes hautes.

— Jean, on va manger de la salade à midi. Va me chercher de l'estragon, là-bas au fond, s'il te plaît.

Jean n'a pas une idée précise de ce à quoi ressemble ce truc. Il cherche au petit bonheur la chance, puis revient sur ses pas, l'air hagard.

— Jean, tu ne sais pas ce que c'est ? C'est une petite herbe verte. Elle est juste là-bas, dit-elle en pointant le doigt. Je vais aller la prendre moi-même, toi, arrache les mauvaises herbes.

— Non, non, j'ai compris, j'y vais.

— Prends-en quatre brins, ça suffira !

Jean fonce vers le coin indiqué et se rend compte que tout est vert dans cette parcelle. En fait, tout est vert, tout court, dans le potager. Il trouve finalement des plants d'une teinte qui lui plaît bien et se lance.

— Un, deux, trois, quatre.

Il tire dessus de toutes ses forces et revient en courant vers Lucette, content de lui.

Quand Mémé relève la tête, elle découvre le petit garçon, fier comme Artaban, tenant à la main une botte… de carottes pas piquées des hannetons. De fait, les fanes sont vertes.

— Il n'y a pas un truc qui te choque, mon petit Jean ?

Jean regarde sa prise et découvre effectivement, sous les feuilles, quatre belles formes orangées qu'il n'avait pas remarquées.

— Tiens, je ne savais pas que l'estragon poussait sur la carotte !

— Moi non plus, Jean, moi non plus. Dis-moi, tu fais parfois le marché avec Marie ?

— Non, pourquoi ?

— Et j'imagine que vous n'avez pas de potager, non plus ?

— Non, mais j'espère bien que Maman en trouvera un à Paris. J'aime bien ! Il y a plein de petites bêtes. J'ai même vu un scarabée.

— Ce sont des carabes. Ça mange les limaces et les escargots. Tu es aussi fort en faune qu'en flore, toi.

— Oui, je sais, crâne-t-il. À l'école, je récolte toujours plein de bons points. Bon, j'en fais quoi, de ces estragons ?

— Très bonne question, d'autant que ces plants-là ne m'appartiennent pas.

— Zut alors, je me suis trompé ? Je vais les remettre, comme ça, personne ne le saura.

Jean court jusqu'au trou, replace une à une les carottes, puis tapote la terre pour l'aplanir.

Ni vu, ni connu !

Mémé s'approche vers lui, se penche au-dessus d'une parcelle d'aromates et se saisit elle-même de quelques brins d'estragon.

— Allez, viens m'aider à enlever les limaces de la salade et tu les donneras aux carabes. Tu verras, ils en raffolent.

Une fois l'épouillage terminé, Jean dépose les quatre limaces près du carabe doré, mais n'a pas le courage d'assister à leur mise à mort. Même si les limaces sont en supériorité numérique, il sent qu'elles vont passer un sale quart d'heure. Comme le taureau dans l'arène.

Il préfère observer les fourmis, qui ont décidé de transporter un bout de pain dur tombé du sac de provisions. Le morceau est cent fois plus gros qu'elles, mais cela ne leur fait pas peur. Ensemble, elles trouvent le chemin le moins accidenté et, comme par miracle, le quignon vole au-dessus de l'herbe. Jean pourrait rester des heures à observer ce drôle de ballet. Lucette, impatiente, décide alors de le tirer de sa torpeur.

— Bon, tu as fini de rêvasser ? On peut y aller ?

— On va où maintenant, Lucette ?

— Chez les commerçants, on ne va pas déjeuner que de la laitue quand même ? On va chercher un bout de viande.

— Du poulet rôti ?

— Non, on en mange dimanche. On verra bien ce qui lui reste, à M. Lestrange.

Lucette et Jean se remettent en route. Direction la boulangerie et la boucherie du quartier de la gare. Ils descendent la large avenue du Maréchal-Leclerc, vers la vieille ville fortifiée, et sillonnent des rues plus étroites, composées de maisons de pierre hautes de trois étages, aux volets blancs et aux toits d'ardoise. Sur les trottoirs, plusieurs échoppes se succèdent.

Ils font des kilomètres à pied chaque fois qu'ils sortent et, à chaque trajet, Jean a envie de fredonner. Il se retient souvent, car Mémé Lucette le mitraille de ses yeux noirs. Mais chanter, c'est comme l'eau-de-vie : ça donne du courage. Alors le petit garçon répète à tue-tête :

— Un kilomètre à pied, ça use, ça use, un kilomètre à pied, ça use les souliers ! Deux kilomètres à pied…

— Ça use, Jean !

— J'aime bien, Mémé, quand tu chantes avec moi ! répond-il, tout attendri.

— Non, je veux dire… arrête ! Ce ne sont pas mes souliers que tu uses, mais mes oreilles. Elles sont en train de chauffer !

— C'est normal, Mémé ! Lorsqu'on se rapproche de notre destination, on chauffe ! Et là, on chauffe !

Jean continue de chantonner dans sa tête : les kilomètres défilent un peu moins vite, mais ils atteignent rapidement la rue commerçante.

Les marchands ont toujours connu la grandmère de Jean : quand elle avait sa ribambelle d'enfants, quand elle a perdu son époux, et quand elle s'est retrouvée seule. Ils l'appellent tous « Lucette » et ont immanquablement une gentille attention pour elle. Même si elle n'aime pas rester à papoter, elle connaît leur vie sur le bout des doigts, et sa fidélité leur est acquise.

— Mémé, pourquoi on ne va pas faire nos courses comme Maman au Codec ? Ils vendent de tout, tu sais ! Ça éviterait de faire la tournée.

— Tu me fais peur parfois, mon petit. Si tout le monde allait au supermarché, qu'adviendrait-il de M. Lestrange le boucher, ou de Mme Ricin la boulangère. Et puis, je ne vois pas pourquoi on irait acheter nos légumes là-bas alors qu'on a la chance d'avoir les nôtres au potager. Tu sais combien d'années il m'a fallu pour obtenir une place ?

— Mille ans ?

— Pas autant. Mais on attendrait encore nos bintjes si je n'avais pas de bonnes relations avec Mme Bellanger, notre voisine du dessus. Elle travaille pour la ville et elle connaît tout le monde.

— En vrai, Mémé, je crois que j'en ai un peu marre de manger des patates tous les jours ! Moi, j'aimerais bien des œufs en gelée ! On en avait parfois le dimanche, avec Maman. Et puis, le potager, c'est loin de chez nous, il faut jardiner, arracher les mauvaises herbes. Moi, j'aime bien quand c'est plus rapide.

— Qu'as-tu donc de si urgent à faire ? demande Lucette en soupirant devant de telles âneries. Tu cherches des occupations ? Tu veux venir au lavoir avec moi ? Demain, on passera la journée au potager avec Anita et tes cousins, et on verra si tu oses encore me dire que tu préfères le Codec.

— Au fait, Mémé, pourquoi tu n'as pas de frigidaire ?

— Parce qu'on n'en a pas besoin.

— Bah si quand même. Pour le beurre, le lait…

— Tu n'en as pas marre de toutes tes questions ? Moi, si.

Jean fait une moue boudeuse. Sa grand-mère l'ignore, mais, devant cet air de chien battu, elle finit par lui répondre, en soupirant :

— On n'a rien trouvé de mieux depuis le torchon humide sur le rebord de la fenêtre. Le réfrigérateur, c'est le début du gâchis.

Mémé s'arrête net devant une échoppe.

— On est arrivés. Il y a la queue chez le boucher, dis donc. Bon, tu te mets dans la file. Tu ne doubles personne et ne te fais pas dépasser non plus, entendu ? Pendant ce temps-là, je vais rapidement à la boulangerie acheter notre bâtard sans sel. Si le boucher te demande ce que l'on veut, tu dis « deux tranches de foie de veau très fines », tu as compris ? Non, finalement, n'en prends qu'une, très fine, entendu ?

— Encore du foie de veau ?

— C'est bon pour ta croissance. Qu'est-ce que tu lui dis au boucher ?

— Je ne me rappelle plus… Ah si, une tranche de foie de veau très fine. OK. Foie de veau très fine… répète-t-il inlassablement, pendant que Lucette s'engage dans la boulangerie sur le trottoir d'en face.

Bon pour la croissance, tu parles, ils font le même coup avec les épinards !

Lorsque vient son tour, M. Lestrange, le boucher, se penche par-dessus le comptoir et s'adresse à Jean :

— Bonjour mon petit bonhomme, tu es avec qui ?

— Une tranche de foie de veau… répond-il très concentré. Euh, avec Lucette, elle arrive tout de suite. Elle cherche son bâtard.

— Et donc, ce sera du veau, pour Monsieur ?

— Oui, je souhaiterais, s'il vous plaît Monsieur le boucher, une tranche… de veau… en foie… très fine. Merci.

— Tout de suite, Monsieur. Tu passes l'été chez Lucette ?

— Oui, Maman cherche un appartement à Paris pour nous deux. Elle revient me chercher très vite.

— Ta maman, c'est Marie ?

— Comment vous savez ? Vous la connaissez ? lance Jean, éberlué.

— Je sais tout, moi. Et je l'ai connue plus petite que toi. Elle raffolait des tripes et de la cervelle.

— Beurk. Et du foie de veau ?

— Aussi.

Cette idée réconforte Jean. Il ne l'aurait jamais imaginé : avec sa mère, ils ne mangeaient pas d'abats.

Jean ose malgré tout poser la question qui le turlupine :

— Mais, dites-moi, Monsieur le boucher, le foie de veau, ça vient d'où ?

Avec son pragmatisme à toute épreuve, M. Lestrange répond tout à trac :

— Bah, le foie de veau, ça vient du veau.

— Oui, je vois bien. Mais ce ne sont pas les veaux qui courent dans les prés, quand même ?

— Bah, si ! Ce sont les mêmes.

— Ah bon, mais, alors, ils sont morts ?

Devant le silence du boucher, le garçon reste interdit. Les yeux exorbités. Le commerçant ne sait plus quoi dire. Quand ce dernier insère la lame pour tailler une belle tranche bien fine, Jean reprend :

— C'est vous qui les tuez ?

Le petit observe le tablier du boucher couvert de sang séché, à force de s'essuyer les mains dessus entre chaque cliente. Le bonhomme voit bien que Jean devient insistant et rétorque un peu gêné :

— Non, ce n'est pas moi qui les tue. Ce veau-là... il est mort de vieillesse.

Jean semble satisfait de l'explication, puis réfléchit un instant. Les mémés derrière lui affichent un large sourire en entendant le petit garçon, toujours plus curieux, continuer son interrogatoire tandis que le boucher termine de préparer la commande.

— Mais, s'il est mort de vieillesse, sa mère, elle a dû être drôlement triste, alors ?

— Bah non, parce que, sa mère, elle est morte aussi.

Lucette le rejoint enfin, se dépêche de payer en remerciant le commerçant, ainsi que les dames dans la file, qui se sont montrées bien patientes, quand Jean ajoute :

— Dis donc, Mémé, elles n'ont vraiment pas de chance dans cette famille, les vaches !

14

Pas folle, la guêpe !

De retour chez elle, Lucette prépare la vinai-
grette pour la laitue, puis fait revenir la viande,
qui diminue rapidement dans la poêle, noyée
sous une tonne de beurre.

— Tiens, Jean, dresse la table, s'il te plaît.

— Ce n'est pas un truc de garçons que de
mettre le couvert, Mémé. Tu ne le sais pas ?

— Et la vaisselle ? demande-t-elle circonspecte.

— Bah, encore moins. Le Papa, il lit le
journal, pendant que la Maman, elle fait la vaisselle. C'est comme ça, la vie, Mémé.

— Je crois, mon petit bonhomme, qu'il y a
deux ou trois petites choses que tu n'as pas bien
comprises « dans la vie ». Tu vérifieras dimanche
chez ta tante si ses fils ne donnent pas un coup
de main. Cela m'étonnerait beaucoup de la part

de Françoise. En attendant, on va dire que, parce que je te le demande, tu le fais. Et illico !

Jean sursaute. Lucette le surplombe : elle est vraiment très grande pour une mémé. Si sa grand-mère veut quelque chose, Jean ne voit pas l'intérêt qu'il aurait à désobéir. C'est une question de survie !

Après le déjeuner, qu'il a passé à se lever pour débarrasser les assiettes, apporter la salade, puis le reste de riz au lait, le petit garçon prend la bassine chargée de toute la vaisselle et descend les deux étages pour aller la laver. Toujours aussi tête de linotte, il n'a pas pensé à prendre de produit dégraissant.

De l'huile de coude, ça fera bien l'affaire !

Les plats propres, Jean s'apprête à remonter les escaliers, quand il distingue un monsieur en uniforme jaune, alourdi d'une sacoche pleine de lettres, qui toque à la porte de la concierge. Personne ne semble lui répondre.

C'est sûrement le Monsieur des PTT, se dit Jean, avant de l'aborder.

— Bonjour, Monsieur, vous êtes bien le facteur ?

— Oui, et toi, qui es-tu ?

— Jean, je suis le fils de Marie. Je voulais savoir si vous aviez une lettre pour moi. Elle doit m'écrire, mais je n'ai encore rien reçu.

— Et tu habites chez qui ?

— Mémé Lucette.

— Ah, j'ai un courrier pour elle. Tu veux bien lui monter pour moi ? Dis-lui aussi que je passerai la voir lundi en fin de matinée. Là, je dois continuer ma tournée : c'est fou le nombre de lettres que les gens s'envoient pendant les vacances. À bientôt, p'tit bonhomme !

Mais qu'est-ce qu'ils ont tous à m'appeler « p'tit bonhomme » ? Je ne suis pas si petit !

Malgré un empilement d'assiettes à l'équilibre incertain, Jean grimpe les deux étages, tenant entre ses dents le pli pour Lucette. Il espère que ce soit une lettre de sa Maman, mais, en déchiffrant l'expéditeur au dos de l'enveloppe, il semblerait que le pli soit effectivement pour sa grand-mère.

À tout juste 6 ans, Jean sait déjà lire et compter. C'est sa mère qui le lui a appris. Écrire, en revanche, est une autre paire de manches : il est du genre souillon, à mettre de l'encre partout. Avec lui, il semblerait que toutes les plumes soient mal taillées.

Quand il remonte son butin mordu et légèrement humidifié par sa bave, Jean découvre une expression chez Lucette qu'il ne lui connaît pas : l'excitation !

— Ah ! Doux Jésus ! Mon pli des Bergères de France ! Enfin ! Tu as rencontré Lucien, le facteur ?

Jean n'a jamais vu sa Mémé aussi enjouée, impatiente comme une enfant, presque tremblante. Parce que, le tricot, pour Lucette, c'est sa drogue.

— Oui, et il m'a demandé de te prévenir qu'il passera lundi en fin de matinée, car, là, il doit continuer sa tournée parce que c'est fou le nombre de lettres que les gens s'envoient pendant les vacances ! répète-t-il tel un perroquet qui ne cherche pas à comprendre ce qu'il raconte.

Lucette n'écoute même pas, empressée de décacheter l'enveloppe. Armée de son coupe-papier, elle parvient à découvrir le trésor qu'ils lui ont envoyé : le nouveau catalogue avec de tout petits bouts de laine accrochés en échantillon en bas de chaque page pour que Lucette ne se trompe pas en passant sa commande.

— Au fait, où ai-je la tête, Jean, tu as de la visite.

Le cœur de Jean se met alors à battre la chamade. Tout à coup, il n'y a pas que Mémé qui soit excitée.

Enfin, sa prière a été exaucée : elle est revenue !

15

Des vertes et des pas mûres

Jean se dirige vers le fond du salon et découvre une silhouette de dos, fluette et familière, qu'il ne remet pas tout de suite.

Quand elle se retourne vers lui, sa poitrine se serre : ce n'est pas *elle* ! Jean ressent un nouveau pincement au cœur.

Deux nattes blondes tressautent, impatientes. La petite voisine du dessus est assise sur son matelas. Jean a déjà oublié comment elle s'appelle. Il a vraiment un problème pour retenir les prénoms. Son père était pareil. *C'est peut-être une vraie maladie ?* Il demandera à Tante Françoise, qui saura sûrement lui répondre, puisqu'elle est infirmière. Lorsqu'il cherche dans sa mémoire : à nouveau, impossible de se souvenir de ceux de ses trois cousins. « Gustave, et… »

Anita tapote le lit de fortune, pour qu'il vienne s'asseoir à ses côtés.

— Ça va depuis l'orage ? Tu as fait quoi ? interroge-t-elle.

— Rien d'extraordinaire. Mais j'espère retrouver mes cousins plus tard, et ce week-end aussi.

— Ça te dit d'aller voir les animaux dans l'enclos, le long de la route ?

— Quels animaux ? demande Jean, qui remarque au même instant les incisives démesurées de la jeune voisine.

Lui revient alors l'image de ces fanes de carottes, sans bien savoir pourquoi.

— Il y a un âne, un poney et des lapins aussi…
Voilà pourquoi !

— OK, je n'ai rien de mieux à faire, de toute façon. Mémé ? Je peux ?

La vieille dame est complètement absorbée par les fils aux couleurs inédites. Chaussant et rechaussant ses lunettes, elle compare les bleus du nouveau catalogue avec le dernier tricot qu'elle vient d'achever. Pour Jean, ce bleu semble tout à fait identique au précédent, mais, d'après le sourire extatique de Lucette, il semblerait que cette teinte requiert un intérêt particulier.

— Allons-y, mais pas longtemps. De toute façon, je ne vais pas manquer à Mémé : partie comme ça, elle en a au moins pour une heure à parcourir toutes les pages du catalogue.

— Moi j'aimerais recevoir du courrier comme celui-là. Ce doit être passionnant de découvrir la mode de Paris, déclare Anita, rêveuse, en dévalant les marches de l'immeuble.

Dehors, le ciel s'est encore obscurci : on se croirait en octobre.

— Bientôt, j'y serai. Maman va venir me chercher, demain peut-être, et on va s'y installer.

— Tu vas aller en onzième à la capitale, alors ? J'allais te montrer notre école. Elle est plus loin en bas de la route qui longe l'enclos.

— Oui, Maman veut que je sois inscrit à Paris, on dit que le niveau est meilleur.

— Moi je n'aime pas cette ville. Il paraît que tout est gris, que si tu respires l'air, tu meurs de pollution. C'est pour ça que les gens là-bas, ils n'osent plus sortir et restent toujours dans leurs voitures. Du coup, ils passent leur temps enfermés.

— Mais tu racontes n'importe quoi ! D'où tu tiens ces sornettes ?

— C'est la vérité ! Ce sont les amis de Mme Bellanger qui en parlaient l'autre jour : les jeunes déménagent tous à la campagne à cause de ça. Vers le Larzac.

Jean fait une moue sceptique. En silence, ils descendent la place du Calvaire, puis s'arrêtent sur leur gauche, au début d'un grand pré clôturé. Un cheval et un âne viennent lentement à leur rencontre.

— Je te présente Sheila et Elvis. Tu veux les caresser ?

— Non, ça va, je n'aime pas tout ce qui a de grandes dents. Je tiens à mes doigts ! Dis-moi, j'ai une question : pourquoi tu ne l'appelles pas *Maman*, Mme Bellanger ?

— Parce que ce n'est pas ma vraie mère ! Je ne l'ai jamais connue, d'ailleurs. Mme Bellanger est ma mère d'accueil. Elle est très gentille, mais j'aurais aimé qu'elle adopte aussi ma sœur, plutôt que d'être séparées. Maintenant, je ne me souviens plus très bien d'elle. Et elle me manque. Parfois, j'ai l'impression qu'elle est à côté de moi, alors je lui parle, pour me sentir moins seule. Tu as des frères et sœurs, toi ?

— Non, enfin... Mon père avait déjà un fils en Angleterre, donc, d'une certaine manière, il doit bien être mon frère.

— C'est ton demi-frère.

— Moitié mon frère, moitié pas mon frère. C'est comme le chat-poney, en somme... continue Jean, songeur !

— Mais de quoi parles-tu ?

— Si, ça existe, je te jure : c'est Mémé qui me l'a dit l'autre jour. Moitié chat, moitié poney. Je n'ai juste pas compris quelle moitié est où.

— C'est toi qui racontes des âneries. Allez, suis-moi, on va nourrir ces pauvres bêtes affamées.

Anita enjambe la barrière de l'enclos et s'installe sous un pommier. Jean la suit, bravant sa peur des animaux, et trébuche avant de s'asseoir à ses côtés. Elle pointe du doigt le bout de la rue, qui plonge vers la mer.

— Moi, je vais à l'école des filles, un peu plus loin. Tu sais qu'à Paris tu seras peut-être dans une classe mixte. Ils l'ont autorisé là-bas. Mme Bellanger dit que c'est le début des problèmes, et encore je suis polie. Pour le moment, elle n'en veut pas pour Granville, tant que ce n'est pas obligatoire. « Laissons à Paris le privilège de faire n'importe quoi. Nous apprendrons bien assez tôt de leurs erreurs », imite Anita.

— Bon, qu'est-ce qu'on leur donne à manger à ces animaux ?

— Des pommes pourries, pardi ! Eux aussi, ils ont droit à leur bolée de cidre !

— Beurk, les pauvres ! C'est bourré d'alcool.

— Pas dans le cidre, voyons, Jean ! Chez nous, le cidre, c'est notre eau bénite ! Mais il y a trop de sucre : j'ai souvent plus soif après un verre que si je n'avais rien bu.

Jean se relève subitement avant même d'avoir donné le moindre fruit.

— J'ai reçu une goutte. Rentrons, avant de se faire saucer. Mémé a préparé un pain perdu pour le quatre-heures. Tu viens ? Cela ne va pas être perdu pour tout le monde !

16

Et ta sœur, elle bat le beurre ?

Cela a pris, à peu près, dix secondes et demie à Jean de préparer son sac pour aller dormir le week-end de l'Assomption chez sa tante. Il lui a suffi de ramasser sa brosse à dents sur l'évier de la cuisine et de refermer sa petite valise blanche, qu'il ne défait jamais, de toute façon. Le petit garçon est très excité à l'idée d'aller découvrir l'appartement de ses cousins et harcèle Lucette de questions en tout genre :

— Ils ont combien de billes en tout ? De voitures ? De balles ? De chambres ? Et eux, ils ont l'eau courante ?

— Mais, tu verras bien !

— Et les waters sont dans la maison ? Il y a un téléphone, un frigidaire ou un poste de télévision ?

À ses sollicitations incessantes, Lucette soupire longuement, puis finit par répondre :

— Si on te le demande, tu diras que tu ne sais pas !

Alors, Jean s'inquiète silencieusement : *Qui pourrait lui faire subir un tel interrogatoire ?*

Les cousins vivent dans le centre historique de Granville, effectivement assez proche de l'église, dans un petit immeuble fleuri de deux étages, tout en pierres. Une fois à l'intérieur, Jean reste bouche bée. Rien n'est comme son ancien chez-lui, encore moins comme chez Lucette. Tout est à la dernière mode ou peut-être tout simplement moderne. Il a l'impression d'entrer dans un monde futuriste psychédélique, où chaque pièce a une fonction propre.

D'abord un long couloir aux papiers peints orange criard à grosses fleurs marron sur les murs et au plafond. Jean se sent presque comme dans un cocon. Au sol, une moquette gris marron, qui recouvre l'intégralité de l'appartement.

Dans la première pièce sur la droite, la cuisine fermée, en forme de cube, avec son beau papier bleu électrique aux courbes graphiques.

— Whaouuuuuu ! Tante Françoise, tu as un frigidaire !

Jean ouvre la porte et commente pour Mémé :

— Tu vois que ça servirait bien, un frigo. C'est quelle marque ? Singer ? Comme ta machine à coudre, Mémé. C'est de la qualité, ça ! Hein, Mémé ?

Jean continue son inspection minutieuse.

— Tu vois, Tante Françoise y met son poulet, son jambon, ses légumes, son beurre, la crème, et les œufs aussi. C'est quoi, ça, ce sachet ?

— Les médicaments d'urgence et mon masque pour la nuit.

— Je parie que tu n'as plus besoin de faire les commissions tous les jours, alors ?

— Non, un jour sur deux ou trois, cela dépend de mes petits ogres, dit-elle en jetant un sourire taquin à ses fils.

— Tu vois, Mémé, tout ce confort ! Pourquoi, on n'a pas ça, nous ?

— Tu sais que la commune me propose de déménager depuis des années pour me faire vivre dans un immeuble moderne ! Je leur ai dit « non ». Pourtant, ce n'était pas si loin du cimetière.

Françoise et Jean échangent un regard interloqué.

— Mais, pourquoi tu as refusé ?

— Je me suis attachée au Calvaire : j'y ai vécu toute ma vie, et j'aimerais bien y rester encore. Excuse-moi, Jean, mais un réfrigérateur, cela ne me fait ni chaud ni froid.

Le petit garçon continue la visite, les yeux toujours plus écarquillés. Une salle d'eau avec de l'eau, et qui coule comme par magie depuis un robinet. C'est même carrément une salle de bains : il y a une baignoire sabot dans l'angle ! Ils possèdent aussi une lessiveuse, un aspirateur traîneau qui fait également office de tabouret avec le fil qui s'enroule tout seul (mais qui fait un boucan de tous les diables, comme peut le constater Jean après la démonstration de son jeune cousin), des placards en bois clair cachés dans les murs du long couloir, un transistor où ils captent même la radio anglaise, un tourne-disque avec une collection de vinyles récents. Pas de téléphone ici non plus : la commune a du mal à câbler les Granvillais. Par contre, ils possèdent… un poste de télévision !

Jean n'avait pas tout ce luxe chez ses parents. Chez Lucette, n'en parlons même pas ! À se demander si sa Mémé n'a pas vécu avec les hommes de Cro-Magnon ou les dinosaures. En tout cas, son balai doit dater de cette époque-là !

— Jean, tu coucheras dans la chambre des garçons. Vous partagerez le lit de Gustave. Maman, on dormira ensemble, le lit est grand, et mon militaire de mari est encore à l'étranger.

— Ce n'est pas une vie, ma fille, que de vivre séparée de ton Alfred. Il est toujours fourré en mission ! Je sais que tu t'en accommodes, mais réfléchis-y !

Le petit garçon n'écoute plus la conversation des grands, tellement impressionné par la chambre de ses cousins qu'il ose à peine y pénétrer. Une large banquette, pour l'aîné, est placée sous la fenêtre en face de la porte, et sur le mur de droite, deux lits superposés : la classe. Dessous, un tiroir débordant de puzzles et de jeux. Contre l'autre cloison, une grosse armoire rustique en chêne où les quelques vêtements des garçons sont pliés, un étage chacun, et une bibliothèque remplie de livres, de figurines, de petites voitures et de maquettes de bateaux.

En observant tous ces trésors, Jean imagine ses cousins en train de faire des parties de Mastermind à deux, des belotes à trois, des courses de billes sur des circuits improvisés avec leurs amis qui s'invitent l'après-midi. S'il avait eu un vrai frère, Jean ne l'aurait jamais laissé un instant, jamais ils n'auraient joué chacun de leur côté, mais ils auraient ri et grandi, toujours ensemble. La vie en a décidé autrement. Avec un vrai petit frère, il ne se serait pas senti constamment seul, assis à écouter les conversations ennuyeuses des adultes. Même une petite sœur, cela aurait fait l'affaire, mais alors en vraiment moins pot de colle qu'Anita. La jeune voisine était revenue s'asseoir à deux reprises sur son matelas depuis leur balade. À rester là, avec son grand corps tout maigre, sans rien raconter d'intéressant, ni rien proposer. C'était peu mais déjà trop : Jean n'a pas grand-chose, mais ce matelas, c'est le sien.

Les cousins de Jean lui racontent plein de choses, tous en même temps, et veulent lui faire écouter leur 45-tours de Cadet Roussel sur leur mange-disque. Le petit invité est, pour sa part, obnubilé par une envie pressante. Il s'enquiert alors discrètement auprès de Gustave, son jeune cousin.

— Les toilettes ? Elles sont là, cachées dans ce qui ressemble à un placard.

Tout en se soulageant, Jean s'extasie – même devant le distributeur de papier qui laisse s'échapper, une à une, les feuilles pliées. La classe, vraiment. Sans parler, encore une fois, de ce motif au mur et au plafond : des petites fleurs roses sur une tapisserie violet foncé.

— Les garçons, allez vous laver les mains, nous allons passer à table.

Aussitôt les quatre enfants, dans une course inutile, se ruent sur le lavabo de la salle de bains et s'éclaboussent des pieds à la tête. Mémé lance un regard noir à Jean, qui hésite entre obéir à

Lucette, à qui il ne faut pas faire honte, et profiter de cette complicité avec ses compères d'un week-end. Mémé a le dos tourné : Jean décide alors d'arroser Gautier, qui avait commencé la bataille.

Jean guette ses cousins : mettent-ils ou non la main à la pâte lorsqu'il s'agit d'aider leur mère avec les tâches ménagères ? Pour le moment, Tante Françoise et Lucette sont les seules à s'évertuer dans la cuisine. Sa grand-mère lui raconte vraiment des salades, parfois.

Depuis le salon, la voix de Tante Françoise appelle :

— Dépêchez-vous, le film va commencer ! Et puis, le dîner est prêt, venez avant que cela refroidisse.

Décidément, Tante Françoise ne fait rien comme les autres. Installée avec Lucette sur le canapé du salon, d'où elles scrutent le téléviseur qu'elles viennent d'allumer, elles picorent les mets déposés sur la table basse devant elles. Au sol, sur la moquette, de généreux coussins en crochet multicolores sont posés en guise de sièges pour les quatre garçons.

— Tante Françoise, qu'est-ce que c'est ? demande Jean, incrédule, devant l'accumulation gargantuesque de petits pains tout chauds dont se délectent déjà goulûment ses cousins.

— Des croque-monsieur ! C'est bête comme chou à préparer ! Tu n'en as jamais fait avec Lucette ?

La vieille dame secoue énergiquement la tête, en signe de désapprobation. Pas de ça chez elle, semble-t-elle dire.

— Et ça se mange comment ? s'inquiète Jean en ne voyant aucun couvert et en observant les garçons les engloutir à pleines mains. Jean sait déjà que cela ne va pas plaire, du tout, à sa grand-mère, s'il les imite.

— Avec les doigts, mon chéri. Il n'y a que de bonnes choses dedans : du pain, du beurre, du jambon, du gruyère râpé, et le tout revenu dans du beurre.

— Ch'est trop boooôn ! l'encourage Gustave. On a le droit d'en prendre combien, Môman ? s'inquiète-t-il en se resservant déjà.

— Deux et demi, par personne. En dessert, ce sera faisselle et fruits. Chut, chut, chut, ça commence…

— Bon, moi, je vais prendre mon livre, ça ne m'intéresse pas, ces histoires qui font peur. Jean, je suis encombrée avec mon tricot, tu me passes mon bouquin, s'il te plaît ?

Jean fouille dans le panier à provisions de Mémé – valise d'appoint de la vieille dame pour un soir – et en extrait un roman qui ne l'inspire pas. Un couple s'embrasse fougueusement sur la couverture et le titre est presque illisible avec tous ses froufrous. Mémé lit toujours des histoires d'amour de cette collection au losange. Ça doit lui rappeler Pépé Marcel !

Dégustant le premier croque-monsieur de sa vie, sous le regard attendri de sa tante, Jean se raidit devant l'écran noir et blanc. S'il ne se passe encore rien, la musique est terrifiante. Même Gustave s'est arrêté de manger et vient de se lover sur les genoux de Tante Françoise.

Jean n'en mène pas large, mais il doit montrer à ses cousins plus âgés qu'il n'est pas un bébé. Ils l'inviteront peut-être alors à jouer avec eux à des jeux de société pour grands, comme le Monopoly ! Il en rêve.

Quand Belphégor apparaît pour la première fois à l'écran, toute la famille sursaute, même Mémé, qui n'a pas ouvert son livre et dont les mailles du tricot montent aussi vite que sa tension. Tout ce tintamarre inquiétant ne laisse rien présager de bon et, dans cette obscurité, le pauvre gardien du musée, bien seul, semble chercher les ennuis, à défaut de trouver le méchant.

— Hooo ! Mais ils ne sont pas bien de nous faire des frayeurs pareilles, lâche Lucette en disputant le téléviseur. C'est bien la dernière fois que je me laisse convaincre de regarder de telles sottises.

— C'est dommage, il reste encore deux épisodes. Cela ne vous tente pas, avec Jean, de savoir qui est vraiment le fantôme du Louvre ? Revenez le week-end prochain pour le troisième !

— Non, non, non, Jean ne sera peut-être même plus là, samedi.

Tout à coup, Jean se fige. Alors que le générique de fin défile, ses premières larmes depuis longtemps viennent lui rappeler qu'il a été heureux, une journée, un instant, sans penser à elle, sans devoir attendre ce retour fantomatique. Lucette vient malencontreusement de raviver une blessure, un espoir qu'il avait mis de côté.

Après avoir aidé ses cousins à débarrasser la table basse et à laver les quelques verres de la soirée, Jean se souvient que le lendemain est l'Assomption, « le retour de Marie » chez les catholiques. Il file vite se coucher, pour être déjà demain. Peut-être enfin le jour J ?

17

Bon an, mal an

Jean a bien dormi. Tête-bêche avec son cousin, ils ne se sont pas gênés, et le lit a été bien plus confortable que le fin matelas chez Lucette. Au petit déjeuner, le jeune invité avale d'un trait son chocolat chaud, comme Gustave. Les autres, eux, prennent une tasse de chicorée au lait. L'odeur n'est pas très avenante, mais, la prochaine fois, il essaiera, pour faire comme eux. Il se rabat ensuite sur le pain tout frais, qu'il tartine généreusement de confiture à la groseille. La messe va être longue : autant prendre des forces en attendant le poulet et le savarin, qu'on lui a promis pour midi. Il sait qu'au dîner Mémé ressortira la soupe Maïzena. Et elle ne date pas de la veille.

À l'église, le Père Denis ne parle que d'elle. À croire qu'ils se connaissent personnellement. Marie par-ci, Marie par-là. Jean se demande s'il ne ferait pas mieux de s'enquérir de ses nouvelles directement au prêtre, plutôt que de guetter chaque jour le facteur.

Le religieux remue le couteau dans la plaie, mais aujourd'hui cela ne lui fait pas aussi mal qu'hier soir. C'est étonnant comme la lumière du jour éloigne ses démons. À moins que ce ne soit la présence de ses divertissants cousins. Ceux-ci n'écoutent toujours rien au prêche. Ils citent leurs passages préférés d'un autre western, que Jean n'a pas vu non plus. Ce Clint Eastwood doit être vraiment le sosie du prêtre : terrorisés ou impressionnés, ils se taisent net à chaque regard en leur direction.

Le déjeuner et l'après-midi filent à vive allure. Jean a eu le droit de jouer avec tous les jeux de ses cousins, d'en emporter sur la plage pour continuer leur rigolade, et a même eu l'autorisation de Tante Françoise de prendre un livre. Il a choisi une bande dessinée, pour faire comme Gabin. Astérix.

Le soir, une fois le potage avalé d'un trait et l'enquête policière radiophonique achevée, Jean s'installe sur son matelas, posé à même le carrelage froid, et commence sa lecture : *Le Bouclier arverne*. Il ne sait pas où se trouve ce patelin, mais ce qu'il sait, c'est que lui préférerait être ailleurs. À Lutèce.

18

Tartempion

Le facteur et Mémé Lucette, c'est une grande histoire d'amour, arrosée au porto. Le postier repart toujours le nez plus rouge qu'en arrivant. Lucette a préparé un petit verre à son attention et a donné les haricots à éplucher à Jean, qui ne s'est pas fait prier pour s'inviter à la table des grands et écouter leur conversation d'adultes.

— Oui, je crois que je vais tenter le parachute à la fin de l'été. La bicyclette, c'est bien, mais je manque de sensation quand même.

— Mazette ! C'est dangereux, mon ami. N'y a-t-il pas suffisamment de raisons sérieuses de mourir pour ne pas en ajouter de stupides ?

— Je suis tout à fait d'accord avec vous, Lucette, mais je dois avoir ça dans le sang. Je rêve que je saute d'un avion, et que je survole la baie du Mont-Saint-Michel. C'est déjà magnifique en songe, ce serait dommage de ne pas vérifier.

— Je vous aurais prévenu. Et comment ferez-vous pour faire votre tournée à vélo avec une jambe cassée ?

— Je prendrai un super-assistant, pardi. Jean, ça te dit de m'accompagner cet après-midi livrer les dernières lettres et de terminer par le triage ?

— Avec plaisir ! Mémé, je peux ? Je t'en prie…

— D'accord, mais ne faites pas les foufous sur la bicyclette de Lucien. Cela me fait toujours peur de voir les autos qui vous frôlent à toute berzingue ! Si vous tombiez et vous cogniez la tête, vous seriez sûrement tués sur le coup !

— Ne vous inquiétez pas, Lucette. Je le sur-veillerai comme le lait sur le…

— Oh mon Dieu, mon riz au lait, tout a débordé ! Allez-y, filez ! Mais je ne vous demande qu'une chose : Jean doit être de retour avant la tombée de la nuit.

— Promis, Mémé ! Qu'est-ce qu'il peut bien m'arriver, de toute façon ?

19

À fond les ballons !

Assis dans le panier trônant sur le guidon, Jean profite de la vitesse pour fermer les yeux, le sourire aux lèvres. Lucien aime se mettre en danseuse et accélérer : il se prend alors pour un cycliste du Tour de France, quitte parfois à prendre des risques inutiles.

Ils forment une bonne équipe, Lucien et lui : l'un pédale, l'autre agite le bras sur le côté en guise de clignotant ; l'un cherche dans la besace les lettres par adresse, l'autre les insère dans les boîtes ; l'un accepte volontiers un petit verre de porto, l'autre une part de tarte. Jean n'aura pas besoin de déjeuner, voire de dîner aujourd'hui.

Lorsqu'ils arrivent au centre de triage, la cargaison du train en provenance de Paris vient d'arriver. Il s'agit de trier, trier et trier toutes ces cartes éparpillées par centaines. Jean est perdu dans ses pensées : il repense à son père, avec qui il a appris à faire du vélo, à klaxonner les mouettes qui s'envolaient sur son passage. Où est-il à cet instant ? Pourquoi ne se sont-ils pas croisés de tout le mois d'août dans cette petite ville ? Serait-il déjà reparti en mer ?

Alors qu'il sépare les plis par code postal selon les différents quartiers, il voit le sourire de Lucien s'effacer tout à coup.

— Qu'y a-t-il ? lui demande-t-il, inquiet.

— Rien du tout, mon petit. Il ne va pas falloir traîner trop longtemps. Il commence à faire nuit et ta grand-mère va m'enguirlander si nous arrivons en retard ! Termine cette dernière pile de cartes postales, et on y va.

— Je ne crois pas que Mémé s'inquiète vraiment. Maman, oui, elle était tout le temps derrière moi, pour un oui, ou pour un non. Tu sais, d'ailleurs, que l'on n'avait jamais été séparés une journée avant. Bon, là, c'est les vacances, c'est normal, et puis elle cherche notre maison à Paris.

— Dépêchons-nous, mon p'tit bonhomme. Allons vite retrouver ta Mémé, avant qu'on se fasse appeler Arthur !

20

Arrête ton char !

Les deux joyeux lurons se retrouvent sur le palier de Lucette. La nuit est tombée depuis de longues minutes. Ils baissent tous les deux la tête, tels des chiens inquiets de se faire réprimander. Le retour a pris plus de temps que Jean ne l'avait prévu : Lucien avait eu envie de faire une surprise à Lucette, sûrement pour se faire pardonner du retard. Selon Jean, il aurait mieux valu accélérer un chouïa, et ne pas être en retard du tout.

Quand Lucette ouvre la porte, elle a les sourcils qui ne disent pas bienvenue. Lucien avait raison. Mais elle se déride et rigole même en apercevant le bouquet de fleurs dépareillées que le postier lui a apporté. La vieille dame jurerait qu'il s'agit d'un assemblage de branches

« empruntées » à droite à gauche sur les tombes proches de celle de Pépé Marcel. Elle ne demandera pas confirmation : c'est l'intention qui compte, comme elle dit souvent.

Devant la mine rembrunie du facteur, elle reprend son sérieux et envoie directement Jean chercher de l'eau pour se débarbouiller.

— Mais je suis propre d'avant-hier !

— Et les cheveux ?

— De la semaine dernière. Je ne me suis même pas baigné dans la mer aujourd'hui. Tu sais, Mémé, personne ne se lave tous les jours : pas même les rois ! Ça doit bien être pour une bonne raison, non ?

— Je vais t'en donner, une bonne raison, moi, dit-elle avec son air amusé, si rare. Allez, oust, pas de discussion. Tu t'installes dans la cuisine et tu fais ta toilette. Lorsque j'aurai fini avec Lucien, je viendrai t'aider pour la tête.

Jean ronchonne, il n'aime pas se débarbouiller et, là, il est certain que ce n'est qu'un prétexte. Primo, il n'est pas sale (il n'a même pas pédalé) et, deuzio, les deux compères continuent leurs messes basses. Jean n'aime pas cela du tout. Quand il remonte du point d'eau, avec la bassine pleine, le postier lui ébouriffe les cheveux en repartant, et Mémé prend une voix mielleuse que Jean ne lui connaît pas.

Ça sent le roussi ! se dit-il. Si l'eau n'était pas déjà glacée, il en tremblerait.

Une fois en pyjama, le ventre plein, il s'apprête à aller se coucher quand il ose poser la question qui le taraude.

— Pourquoi vous aviez l'air triste, tout à l'heure, avec Lucien ?

Lucette soupire, elle aurait préféré repousser la discussion au lendemain matin, pour avoir la lumière du jour avec elle, les occupations de la journée pour les divertir. La grand-mère enlace tendrement Jean et extirpe de la poche de son gilet une petite carte postale.

Jean s'extasie :

— Je la reconnais : c'est la tour Eiffel ! Une carte de Paris ! C'est Maman qui m'écrit ?

Lucette s'apprête à répondre, mais la machine Jean est en marche, tout sourire.

— Il ne faut pas être triste, Mémé. Je reviendrai te voir. En plus, avec les cousins, j'ai deux fois plus de raisons de venir te rendre visite. Alors, elle me reprend quand ?

Mémé n'a pas le courage de lui répondre et tend simplement la carte. Jean s'en saisit et tente de déchiffrer à la va-vite. Ne comprenant rien, les yeux implorants, il la rend à Lucette pour qu'elle l'aide : il est trop impatient pour se concentrer et lire cette écriture pressée.

21

Dans tes rêves !

Lucette s'exécute et lit à voix haute la jolie carte postale :

Maman,
La vie chez les cousins à Paris est devenue impossible : je dois chercher une chambre d'hôtel. Je ne peux pas reprendre Jean pour le moment. Garde-le encore un peu et inscris-le à l'école s'il te plaît. Tendres baisers.

Marie

Si Lucette est tout d'abord un peu contrariée, car elle ne voit pas bien comment elle va faire avec la pension de Pépé Marcel qui n'est déjà pas bien grosse, elle ne montre rien. Elle n'a pas le droit d'avoir une telle pensée, tandis que son cœur se serre en observant les yeux de Jean qui s'emplissent de larmes.

Le petit garçon ne parvient pas à cacher sa déception. Elle est trop grande. Il a pris cette lettre comme elle l'était : comme une gifle. Il s'attendait à ce que Marie lui adresse son message, il espérait qu'elle annonce son retour prochain et qu'elle hurle son impatience de le revoir. Si tout cela était encore trop demander, il aurait simplement aimé un peu d'amour, quelques phrases à son attention. Un « Embrasse Jean de toutes mes forces, je l'aime, il me manque tant ! ».

Rien de tout cela dans cette lettre, ni même quoi que ce soit de rassurant ou de réconfortant. D'ailleurs, ce n'est même pas une lettre, juste un gribouillis raturé jeté sur une carte postale, qui impose un minimum de mots. Quelques-uns tout au plus, pour faire mal, ne pas enrober les choses. Pour ne pas être personnel. Mais, qu'on le veuille ou non, ça l'est.

Après plus de quatre semaines de silence, d'absence, retour à la case départ. À la case Mémé. À la case orphelin, en un sens. Comme au Monopoly : aller directement en prison, sans toucher vos 20 000 francs. Et passez votre tour !

Jean ne le sait pas encore, mais c'est ce jour-là que sa vraie vie d'homme a commencé : quand il a cru, pour la dernière fois, ce que lui disaient les adultes.

22

Même pas mal !

L'orage a repris au-dessus de leurs têtes : la nuit risque encore d'être mouvementée et les deux voisines vont sûrement rappliquer. Jean les déteste. Il déteste Lucette aussi. Et il déteste Lucien qui lui a caché la vérité au triage, laissant à sa grand-mère le soin de lui annoncer la nouvelle. Si Marie n'était pas sa Maman, il la détesterait également.

Le petit garçon ne comprend pas sa réaction. Pourquoi cette distance, cette hâte ? D'habitude, elle est si câline, si enjouée, toujours à chantonner avec lui. Peut-être qu'il lui arrive quelque chose de grave, de suffisamment fâcheux pour qu'elle en oublie de lui faire le moindre baiser ?

Même Lucette ne sait que répondre aux nouveaux « pourquoi » de son petit-fils.

Jean continue de chercher des explications probables à un acte qu'il juge improbable. Peut-être qu'elle va lui écrire une nouvelle carte, en se rendant compte de son oubli ? Oui, c'est sûrement cela, il va recevoir un autre courrier bientôt, cette fois seulement pour lui.

Quand les déchirements du ciel sont suivis des tambourinements des voisines, Anita n'a pas besoin d'instructions : elle se faufile contre Jean, qui a cessé de faire couler ses larmes. Ce petit corps chaud, qui vient se blottir contre lui, lui rappelle le bon vieux temps, lorsque sa mère se glissait à ses côtés. Si Jean ferme les yeux, il peut sentir le citron et le miel nichés dans les nattes d'Anita. Comme le parfum maternel. Il sombre finalement dans un sommeil profond où, enfin, cette odeur devient *elle*. Une Maman qu'il comprenait alors.

23

Plein les mirettes !

Jusqu'à ce qu'un petit bonhomme de quatre kilos pointe son nez, les relations entre Marie et les hommes se sont toujours révélées compliquées, souvent décevantes.

À 17 ans, elle ne se méfie pas. De quoi faudrait-il avoir peur, d'ailleurs ? Il n'y a pas encore de cours d'éducation sexuelle. Seulement le catéchisme. On repassera pour les explications pratiques. Elle a abandonné l'école et a trouvé un emploi de serveuse dans un restaurant bien sous tous rapports, mais tout de même au grand dam de sa mère. Puis, à cause de ses retards et de son caractère bien trempé, elle a été mise à la porte. Qu'importe ! Le bar dans lequel elle achète ses cigarettes chaque jour lui offre une place. Elle y est bien. Elle n'a pas l'impression de travailler.

Elle bavarde, papillonne pendant que les clients consomment et la couvrent de verres gratuits, pour ses beaux yeux. Verts.

Marie ne le fait pas exprès si c'est toujours le regard du plus bagarreur qui l'attire, ou encore les compliments du plus rebelle qui la font fondre. Et ils lui font tourner la tête chaque jour un peu plus. Les pourboires gonflent son porte-monnaie et sa confiance en elle. Elle peut en profiter pour aller vivre sa vie, faite de découvertes. Enfin libre.

Elle se rend souvent au cinéma du quartier et rêve devant la vie d'actrices américaines. Elle y va seule, car elle n'a pas gardé d'amies : toutes sont en ménage, dans un emploi ennuyeux à mourir, ou déjà mères. Les sottes ! La vie leur tend les bras, et elles se précipitent dans l'abîme !

Et puis un jour, à 22 ans, elle tombe enfin amoureuse. La tête qui tourne, le cœur qui bat, et les pertes d'appétit. Un baiser, puis un autre, et d'autres encore, bien plus passionnés. Quelques semaines plus tard, le choc : un bébé est venu se loger dans son ventre.

Lucette ne lui dit rien. Ni reproche ni conseil. Marie se tourne vers ses camarades de classe, qui la regardent comme la dernière des imbéciles. Elle implore sa sœur, déjà partie de la maison avec mari et enfants, mais Françoise ne lui parlera pas d'avortement clandestin. Sa mère, si pieuse, lui en voudrait si elle osait le suggérer à sa sœur. Même si elle est infirmière, elle n'a pas de solutions miracles pour sa jeune sœur. Elle lui explique comment le bébé est arrivé et lui prodigue quelques conseils. Cette fois-là est un accident. C'est la vie. Il faut continuer d'avancer et informer le père.

Marie puise son courage dans les paquets de cigarettes et les verres de cidre. Puis cultive une rancœur contre sa sœur, qui aurait pu faire plus pour elle. Il faut que Marie l'annonce à l'homme qu'elle aimait plus que tout, jusqu'à hier encore, plus que tout mais pas au prix de sa liberté, pas au prix de devoir s'imaginer rester avec lui toute une vie.

Le père est un marin, bien plus vieux qu'elle. Il a été résistant pendant la guerre, a eu une autre famille à Londres. Il a une fâcheuse tendance à noyer son chagrin dans le vin, mais, avec elle, il sait se montrer attentionné. Ce gamin, c'est une deuxième chance. Celle de côtoyer chaque jour la femme la plus belle qu'il ait jamais vue, une chance de raconter à son fils « comment il a été un héros ».

Marie l'aime, mais son amour a des limites. Six ans passent avec un macho toujours plus absent et qui lui apporte des États-Unis le manuel de l'épouse parfaite, en l'incitant à en prendre de la graine. Cela fait des années qu'elle lui demande de pouvoir retravailler et, lui, refuse. Quand, en 1965, la loi est définitivement du côté des femmes, Marie n'écoute plus que son cœur. Après tout, ils ne sont même pas mariés : elle fera ce qu'elle veut. Alors, les tensions, puis la violence viennent s'installer entre eux, Marie prend conscience que sa vie dérive du cap qu'elle s'était fixé. Elle doit partir, pour sa survie, pour celle de Jean, aussi. Mais partir pour aller où, pour faire quoi, finalement ? Ses désirs n'étaient pas si concrets que cela.

Marie rêverait d'être enfin traitée comme une princesse, pas comme la ménagère modèle, qui doit s'effacer face aux désirs de son époux. Elle ne sera pas celle qui doit enchaîner à répétition les repas, les corvées ménagères, autant que les enfants. Elle sera indépendante, aura un compte en banque, pourra décider de mettre un pantalon si elle le souhaite, de ne pas s'adonner au tricot mais au chant, elle aura un travail, où elle se sentira utile et appréciée à sa juste valeur.

Même si l'arrivée de son petit garçon n'a pas cadré tout de suite avec son envie de se libérer de toute contrainte, Marie a su très vite être une bonne mère. Elle avait peur de ne pas ressentir ce fameux « instinct maternel », mais il s'est imposé à elle. Contrairement aux précédentes relations qu'elle avait eues avec les hommes, son amour pour le bout de chou ne s'est jamais éteint et n'a fait que grandir.

D'autant que Jean a compris que plus il était indépendant ou débrouillard, plus les moments qu'ils partageraient ensemble ne seraient que rires et tendresse. Entre eux s'est immédiatement créée une très belle complicité, ce que Marie n'avait jamais connu avec sa mère. Malgré son travail prenant, elle parvenait à rentrer à temps le soir pour coucher Jean, lui raconter une histoire, chantonner de nouvelles chansons, ou juste faire un câlin, en lui caressant tendrement les cheveux. Elle sait qu'elle devenait alors la plus merveilleuse des mamans. Une vraie princesse – au moins, dans ses yeux à lui.

Jusqu'à ce qu'elle le déçoive une première fois, avec cette maudite lettre.

24

C'est pas d'la tarte !

Le lendemain, Lucette ne laisse pas Jean en paix.

— Le monde ne s'est pas arrêté de tourner ! Des nouvelles de ta mère, tu en recevras bientôt.

— Humm…

— Il s'agit d'être patient et d'aller de l'avant.

Dès le réveil, elle demande à Mme Bellanger, la chargée municipale, de faire jouer ses relations afin que Jean soit inscrit en onzième pour la rentrée, qui se profile trois semaines plus tard. À six ans, c'est du sérieux, adieu la maternelle. Anita ne dit rien, mais son sourire laisse transparaître sa joie de voir son voisin partager le chemin de l'école avec elle.

Lucette et Jean s'activent aussi. Ils vont l'équiper pour sa rentrée scolaire, direction la mercerie où Lucette a ses habitudes pour ses robes-tabliers. Ils y dégotent une fabuleuse blouse en tergal, « à la dernière mode », d'après Lucette. Elle ira très bien avec le cartable que ses enfants ont laissé derrière eux en quittant le nid et qui fera tout à fait l'affaire quelques semaines.

À la papeterie, la grand-mère achète une belle plume, un porte-plume et un encrier tout neuf. Alors que Lucette prend sur ses économies sans compter, pour que son petit-fils ne soit pas le moins bien équipé de sa classe, Jean constate avec amertume qu'à Paris il aurait eu un stylo Bic !

Les jours passent, ils se rendent au cimetière, chez les commerçants, au potager, ou à la plage avec les cousins. Tante Françoise les invite à nouveau à passer le week-end chez elle : Lucette décline, *Belphégor* lui a laissé les poils des bras tout hérissés. Jean, d'un regard suppliant, reçoit l'autorisation d'y aller sans sa grand-mère.

Il a besoin de ne pas être constamment en tête-à-tête avec elle. Si sympathique soit-elle, il préfère quand même apprendre d'autres enfants les derniers commérages du quartier ou les événements du monde, plutôt que d'entendre la vieille dame radoter, à qui veut bien l'entendre, ce qu'il sait déjà.

25

D'amour et d'eau fraîche.

Lorsque Jean rentre de chez ses cousins, Lucette l'attend sur le pas de la porte avec Lucien. Ils arborent tous les deux une mine réjouie et semblent surexcités.

Lorsqu'ils comprennent que leur enthousiasme gagne le jeune garçon, ils se montrent d'un coup plus contenus.

— Lucien t'attendait avant de partir. Il voulait te remettre quelque chose en main propre.

Jean regarde alors ses ongles noirs, puis les cache discrètement dans son dos, en s'approchant du facteur.

— Il y a quelque chose pour moi ? Qu'est-ce que c'est ?

— Essaie un peu de deviner !

— Un autre tour de bicyclette avec toi ?

— Non. Tu peux trouver, c'est facile !

— On va au triage ?

— Non plus. Ce n'est rien de bien sorcier, quand on se souvient que je travaille aux PTT…

— Une lettre ? ose-t-il timidement. Encore les Bergères de France ?

— Non, encore mieux que ça ! C'est pour toi !

— C'est vrai, ce mensonge ?

Lucette et Lucien échangent un regard amusé, puis éclatent de rire.

— Tiens, regarde par toi-même.

Jean saisit l'enveloppe qu'on lui tend. Il y déchiffre son prénom et regarde fièrement Lucette. Elle n'est pas toute légère : il y a au moins deux feuillets.

— Je crois que je sais ce que c'est ! lance-t-il tout content.

— Je te l'avais bien dit, taquine la grand-mère.

— Euh, c'est moi qui ai raison depuis le départ : je savais qu'elle m'écrirait une lettre quand elle se rendrait compte qu'elle ne m'avait pas embrassé.

Jean tressaute sur place. Il n'a qu'une envie, s'isoler pour lire son courrier.

— File, mon grand ! dit-elle en lui décachetant l'enveloppe de son beau coupe-papier.

Salue tout de même Lucien avant de partir. Pour ta gouverne, nous passons à table dans trente minutes. Je m'occupe d'équeuter seule les haricots, pour cette fois, lance-t-elle en lui faisant un beau clin d'œil.

En tailleur dans le salon, Jean est plongé dans sa lecture, deux belles feuilles beiges à gros grain entre les mains.

Il le savait, il avait eu raison d'y croire. Elle ne l'avait pas oublié. Marie n'était pas comme ça. Il parcourt les premières lignes, un sourire se fixe sur ses lèvres :

Mon Jean adoré,

Je m'excuse. Je me rends bien compte que ma carte pour Lucette était maladroite. Il y avait tellement de choses à dire, à te dire.

J'espère que tu vas bien, et que tu profites de la fin de tes vacances. Je parie que tu passes ton temps avec tes cousins ! Ils ont dû bien grandir, eux aussi.

Ici, ce n'est pas aussi facile que je l'avais espéré. Je suis restée dormir sur le canapé de mon cousin de Paris, mais sa femme est enceinte, et je crois qu'ils avaient envie d'être un peu tranquilles avant l'arrivée du bébé. Désormais, je loge à l'hôtel. Les chambres sont très chères ici, et je travaille beaucoup sans parvenir à mettre de côté autant que je voudrais. Bientôt, nous serons ensemble et je te montrerai tous ces beaux monuments, ces cinémas, ces parcs. Je suis certaine que tu adoreras.

Je dois déjà te laisser : ma pause est finie. Je t'écrirai le plus souvent possible. Ici, il y a le téléphone, mais pas encore chez vous. J'espère pouvoir prendre un week-end prochainement pour que l'on se voie enfin.

Tu me manques, Jean.

Sois sage avec Lucette, et attentif à l'école. Les mathématiques, c'est important.

Mille bisous, mon beau.

Ta Maman, qui t'aime et pense très fort à toi

Jean sourit, béatement. Il serre fort le papier contre son cœur, puis hume son parfum. Il n'en a pas. C'est dommage, il aurait aimé sentir son eau de Cologne. De toute façon, à Paris, elle en aura bien changé, ou au moins d'odeur, avec toute cette pollution.

Il glisse la lettre sous son oreiller et revient embrasser tendrement sa grand-mère. Lucette ne dit rien, ne lui pose aucune question : de le voir si heureux suffit amplement à combler son bonheur.

26

C'est pas folichon !

Alors que ce courrier aurait dû rendre Jean léger, il devient tout à coup préoccupé. Lucette s'en inquiète :

— Qu'y a-t-il, Jean ?

— J'aimerais bien répondre à Maman.

— Avec plaisir, on finit de débarrasser le déjeuner, et on s'y met.

— Oui, mais il y a quelque chose qui me tracasse.

— Quoi donc ?

— Deux choses, en fait. Un…

— On dit « primo » ou « tout d'abord », mon petit.

— Primo, tout d'abord (Jean penche la tête pour bien appuyer le fait qu'il a compris la leçon), je ne sais pas bien écrire. Je peux lire, mais je n'arrive à rien avec ces maudites plumes.

— J'écrirai pour toi les premières lettres, si tu le souhaites. C'est normal de ne pas savoir écrire à 6 ans. Tu apprendras à l'école. Deuzio ?

— Deuzio, Maman n'a pas mis son adresse.

— Il n'y a rien sur l'enveloppe ? Tu es sûr ? Fais-moi voir.

Jean repart chercher le pli et Lucette constate qu'effectivement, au dos, il n'y a rien d'inscrit. Ils n'ont donc aucun moyen de savoir où renvoyer la réponse.

— Oui, c'est fâcheux. Je ne te demande pas de me lire ta lettre, elle est à toi, et tu n'as pas à me révéler ce qu'elle te confie. Par contre, si elle mentionne le nom d'un hôtel ou d'un restaurant où elle travaille, nous pourrions tenter à ces adresses. Qu'en dis-tu ?

— Et Lucien le facteur, il ne peut pas savoir, avec le timbre, où lui écrire ?

— Ce n'est pas aussi facile, mon petit. Un jour peut-être, mais pour le moment, non. Attends, il me vient une idée ! Sur la carte, n'avait-elle rien laissé du tout ?

Jean piétine à nouveau d'impatience, parce que, lui, des idées, il n'en a pas d'autres.

Lucette observe la jolie carte de la tour Eiffel sous toutes les coutures, mais il n'y a pas plus d'indications.

Jean fait grise mine. Lucette rétorque :

— Je te propose une chose : nous allons déjà préparer ton mot cet après-midi, ensuite je me rendrai en ville pour téléphoner à son cousin chez qui elle logeait auparavant. Il saura sûrement nous renseigner. Qui ne tente rien n'a rien !

— Oh oui, cela me semble parfait ! Vite, Mémé, donne-moi la bassine que j'aille faire la vaisselle. Je vais réfléchir en même temps à ce que je veux lui dire. J'adore déjà cette journée, moi !

27

La tête au carré

Il pleut à verse lors du dernier week-end d'août 1968, un peu comme chaque soir de cet été-là. Ils sont à nouveau tous réunis chez Tante Françoise. Le téléviseur est allumé sur la Première chaîne, qui diffuse le dernier épisode de *Belphégor*. Encore une fois, Lucette a les chocottes et sursaute sans arrêt en jurant : tous les noms d'oiseaux qu'elle connaît y passent. Jean découvre, par la même occasion, que Mémé est une sacrée ornithologue !

Quand, en plus, le tonnerre se met à gronder, Jean en rirait bien, mais il est tétanisé. S'ils étaient chez Lucette, cela ferait bien longtemps que la petite voisine se serait réfugiée à ses côtés. Cela lui manque un peu : Jean a moins peur lorsqu'elle est là, finalement.

Les deux semaines suivantes filent comme l'éclair qui perce la nuit, et l'heure de l'école sonne enfin.

La veille de la rentrée des classes, le petit garçon lutte pour trouver le sommeil, qui ne vient pas. L'école, il connaît un peu, mais passer de la classe maternelle à la classe élémentaire est un cap important. Anita entre, elle, en dixième, à l'école des filles. Pour le premier jour, Lucette va accompagner son petit-fils, mais ce ne sera pas pareil : il aurait préféré être entouré de ses parents, pour lire la fierté dans leurs yeux. Un peu de nostalgie aussi, de le voir grandir si vite.

Quand, au matin, la cloche de l'école des garçons Jules-Ferry sonne, le petit garçon se met en rang derrière le maître que Lucette lui a désigné, puis la salue d'un signe de la main, qui signifie : « C'est bon, tu peux partir maintenant. » En file, deux par deux, ils grimpent le grand escalier qui mène à leur salle de classe. Vers un tout nouveau monde pour Jean !

Le maître, M. Ducousset, s'assoit derrière un petit bureau en bois et appelle, par ordre alphabétique, les garçons restés sur le pas de la porte. Chacun s'installe à côté de celui qui l'a précédé. Jean est invité à entrer dans les derniers et se retrouve au fond de la classe, à côté d'un énergumène qui mesure bien deux têtes de plus que lui.

Il espère qu'il en fera son ami, car, vu sa taille, il vaut mieux l'avoir dans son camp. Thierry Legrand, il s'appelle, en plus !

Au premier rang, dans l'allée centrale, des jumeaux, les frères Guichard. Cachés derrière leurs lunettes rondes bien trop grandes pour eux, ils ressemblent plus à des taupes qu'à des flèches. Ils n'arrêtent pas de se retourner pour jeter des boules de papier sur leurs camarades. Ils semblent connaître un bon nombre de garçons de cette classe. Jean observe un à un les enfants : l'un d'eux est bien plus petit que les autres. Il aurait intérêt à faire ami-ami avec le grand Thierry : à eux deux, cela équilibrerait les chances de ne pas se faire péter le nez à la récré.

Le maître leur demande de sortir leurs plume et porte-plume, puis de placer leur encre dans l'encrier situé à droite sur le double pupitre. Ensuite, il les prie de sortir leur cahier pour commencer les exercices d'écriture. Jean fouille dans son cartable, panique, car il n'a pas de cahier. Ce n'était pas indiqué sur la liste des fournitures scolaires. Tous ses camarades prennent leur *Méthode Boscher* et l'ouvrent, comme demandé, à la page 4. Jean baisse la tête et espère échapper à l'attention du maître, quand celui-ci remonte l'allée. Il s'arrête brusquement au niveau de Jean.

— Monsieur, levez-vous, s'il vous plaît. Les mains dans le dos. Où est votre cahier ?

— Je n'en ai pas. Je ne savais pas…

— Cela me semble bien curieux : tous vos camarades, eux, ont eu l'information, et vous, non. Si vous n'êtes pas en mesure de suivre les exercices, je ne vois pas l'intérêt de rester dans ma classe. N'êtes-vous pas d'accord ?

— Peut-être puis-je faire les lignes d'écriture sur un feuillet à part ?

— Vous pouvez partir. Vous reviendrez lorsque vous serez décidé à travailler.

— Excusez-moi, Maître, mais je suis décidé à travailler.

— Ne m'avez-vous pas entendu ? Sortez, et cessez votre impertinence. Vous serez autorisé à revenir dans ma classe le jour où vous aurez votre matériel. Bonne journée !

Jean sort, abasourdi, en jetant un regard derrière lui : son camarade de banc semble peiné pour lui, le petit aussi, alors que les jumeaux rient comme des hyènes en agitant leur cahier en signe d'au revoir.

Devant le portail de l'école, Jean a trop honte. Il n'ose pas rentrer chez Lucette : il ne veut pas qu'elle sache qu'il a été renvoyé de l'école dès le premier cours. Il préfère flâner, d'abord le long de la plage, puis dans les rues du centre, jusqu'à ce qu'il tombe par hasard sur la papeterie où ils étaient venus chercher son petit nécessaire d'écolier. Il rêve devant les stylos-bille orange quand il glisse sur une feuille mouillée et s'étale de tout son long sur le trottoir. La commerçante sort en courant pour le relever et le reconnaît immédiatement.

— Je me souviens de toi. Lucette t'a acheté mon plus beau porte-plume pour la rentrée. Ne devrais-tu pas être à l'école aujourd'hui, mon petit ?

— Si, j'aimerais bien, mais le maître m'a mis à la porte…

— Déjà ? L'école a commencé il y a à peine une heure ! dit-elle en regardant sa montre. Qu'as-tu donc fait comme sottise ?

— Rien du tout. Je n'avais juste pas le cahier qu'il demandait. Et comme j'étais le seul dans ce cas-là, il m'a renvoyé.

— Quel cahier, celui-ci ? lui demande-t-elle en désignant précisément l'ouvrage qui lui fait tant défaut. Tous tes camarades sont pourtant venus le chercher. À croire que Lucette n'avait pas reçu la liste complète des fournitures. Dis-moi, mon p'tit bonhomme, tu sais faire du vélo ?

— Euh, oui… Pourquoi ?

— J'ai un marché à te proposer : tu vas prendre la bicyclette de mon petit-neveu et faire une course pour moi. Quand tu reviens, je te donne le cahier qui te manque. Comme cela, tu peux retourner en classe après la pause déjeuner.

— Merci, c'est vraiment gentil, mais je n'ai pas de quoi vous payer. Il faudra que je demande à ma grand-mère de repasser.

— On va dire que Lucette n'a pas besoin d'avoir connaissance de notre arrangement. Le livre coûte 10 francs, alors tu me fais cette course certains midis de la semaine et nous sommes quittes.

— Entendu ! Qu'est-ce que je suis censé faire ?

— Tu as déjà joué au facteur ?

28

Ménager la chèvre et le chou

Quand Jean rentre déjeuner, Lucette voit que le jeune garçon tire une tête de six pieds de long. Elle se serait attendue à beaucoup plus d'enthousiasme après cette première matinée d'école.

— Alors, tu me racontes ? Ça s'est bien passé ?

Jean la foudroie du regard et se précipite sur son matelas, pour le couvrir de sanglots.

— Eh bien, en voilà un gros chagrin. Dis-moi un peu, tes camarades n'ont pas été gentils avec toi ?

— Si seulement je les avais vu plus de dix minutes…

— Je ne comprends pas : tu n'étais pas avec eux en classe ? Tu as été puni ?

— En quelque sorte, oui.

— Que diable as-tu donc pu faire pour te faire remarquer dès le premier jour ? demande Mémé d'un air peu commode.

— Rien, Mémé, je te promets. Il me manquait juste un manuel scolaire. Il n'était pas indiqué sur notre liste de fournitures.

En silence, Lucette attrape la main du petit garçon et grimpe les marches qui mènent à l'étage, puis frappe à la porte de Mme Bellanger. La conseillère municipale lui ouvre presque aussitôt. Elle aussi déjeune chez elle. Anita pointe son nez derrière la porte.

— Bonjour Yvette, j'ai une petite question. Ton M. Ducousset, il ne serait pas un peu sévère ? Il semblerait qu'il ait mis Jean à la porte pour un cahier oublié…

— M. Ducousset ? C'est un professeur aux méthodes un peu vieillottes, mais il est très efficace avec les élèves. Que manquait-il dans la liste que je vous ai donnée ?

— La *Méthode Boscher*, répond le jeune garçon, en la sortant de son sac.

— Plus personne ne l'écrit sur la liste pour la rentrée, c'est tellement évident !

— Pas pour tout le monde, vois-tu, ronchonne Lucette qui n'a pas scolarisé un enfant depuis plus de vingt ans.

— Je suis sûre que tout cela n'est qu'un fâcheux malentendu. Va lui en toucher deux mots à la reprise dès aujourd'hui, suggère la voisine.

— J'y compte bien. Il faut que Jean reparte du bon pied avec son enseignant. Ce serait dommage qu'un banal oubli, le mien qui plus est, le pénalise toute l'année.

— Il n'y a pas de raison que cela se passe mal.

— Allez, le gratin refroidit. Viens, Jean. Merci, Yvette. À bientôt.

Alors qu'ils redescendent vers leur appartement, Lucette pose une question qui la turlupine :

— Comment diable t'es-tu procuré ce manuel ? Tu ne l'as pas volé au moins ?

— Ça ne va pas la tête ! J'ai fait une course pour la dame de la papeterie. Figure-toi qu'elle aime beaucoup le boucher, euh, je veux dire, le foie de veau… .

29

Ça me fait une belle jambe !

Absorbée par sa discussion avec le maigre professeur, Lucette hoche la tête en signe d'approbation. Derrière la grille de l'école, n'osant encore entrer, Jean et Anita épient dans l'attente de savoir si le jeune garçon est autorisé à retourner en classe.

— Ne t'inquiète pas, Jean. Ton maître fait le dur le premier jour pour donner une leçon à tous les élèves, pas de bol, c'est toi qui trinques. Il va te faire revenir : il n'a pas intérêt à te laisser traîner les rues.

— Croisons les doigts. Merci, Anita. Je ne veux pas qu'à cause de moi, Mémé Lucette se fasse du mouron.

— Elle s'en remettra. Elle a sûrement connu pire. Tiens, d'ailleurs, je crois qu'elle te fait signe d'entrer. À ce soir, Jean.

Anita lui souhaite bonne chance et file, cinquante mètres plus loin, dans le bâtiment réservé aux filles. Jean rejoint sa grand-mère et son professeur.

— M. Ducousset accepte aimablement mes excuses et t'autorise à reprendre les cours, puisque tu as désormais tout ton matériel. Sois sage, tu m'entends. À ce soir, ajoute-t-elle en lui tapotant la tête.

— Oui, Mémé, je ferai tout ce que le maître…

— M. Ducousset, s'il vous plaît, jeune homme.

— Pardon, je ferai tout ce que M. Ducousset me demande.

— Parfait. Madame, bonne journée à vous. Jean, on nous attend.

Le maître et son élève marchent au pas pour retrouver la classe, qui commence à s'impatienter. Thierry, le très grand, son compère de rangée, se bat avec les jumeaux. Jean s'arrête à côté du tout petit, auprès duquel aucun garçon n'a voulu se mettre. Enchanté de se trouver un copain, il entame la discussion :

— Ça alors ! Tu es déjà revenu ?

— Oui, j'ai réussi à trouver le cahier. Un jeu d'enfant.

— Tu es drôlement fortiche.

— Je m'appelle Jean. Et toi ?

— Achille. Elle est vachement vieille, ta mère, dis donc ! lance-t-il en pointant du menton Lucette, qui repart vers son Calvaire.

— Elle ? C'est ma grand-mère. Ma Maman est à Paris, pour le mom…

— Messieurs, on monte l'escalier en silence ! Sinon, vous allez faire connaissance avec mon double décimètre.

Le maître sait se faire obéir, Jean ne bronche plus et s'assoit à côté de son impressionnant camarade. Le professeur leur demande de reprendre leur matériel et d'ouvrir leur manuel à la page 8. Ils ont bien progressé ce matin en l'absence du petit garçon.

— Tout le monde a enfin son cahier. N'est-ce pas, Jean ?

– Oui, Maître, euh, M. Ducousset. Le voici, montre-t-il fièrement à toute la classe.

— Parfait.

Le maître tourne les talons, quand les jumeaux lèvent tous les deux la main très haut.

— Messieurs Guichard, qu'y a-t-il de si important pour mériter une telle agitation ?

— Jean n'a pas tout son matériel. Regardez, il n'a pas sa plume, ni son porte-plume !

Le garçon cherche sur son pupitre, plus rien ! Ses affaires, qu'il a laissées le matin, se sont envolées.

— M. Ducousset, je ne comprends pas. Je les avais déposées sur mon bureau en partant, et maintenant tout a disparu.

— Nous avons un problème s'il vous manque *encore* quelque chose. Comment allez-vous travailler ? Vous pensez que je suis là pour surveiller votre barda ? Si vous n'avez pas votre équipement au complet, vous connaissez les règles. Je ne peux rien pour vous.

Encore ! Jean craque. Il sent qu'il va pleurer, mais il doit être fort pour ne pas donner satisfaction à ses petits camarades, ni au voleur – encore moins à son professeur, qui semble n'avoir aucun cœur. Jean range son cahier dans son cartable et remonte la rangée sous le regard médusé de ses camarades. Tandis qu'il passe devant la table de son maître, il constate que plusieurs plumes sont alignées. Le professeur aurait pu lui en prêter une. Il s'apprête à le lui demander au moment où son camarade de banc, Thierry, prend la parole.

— Monsieur, je sais, moi, qui a volé la plume de Jean. Ce sont les frères Guichard.

Les deux garçons à lunettes se figent tout d'un coup. Démasqués ! Ils vont passer un sale quart d'heure. Sur le qui-vive, ils fixent le professeur qui leur tourne le dos, dans l'attente de la sentence.

142

— Levez-vous, petit impertinent.

Les deux frères se lèvent d'un bond, mais le maître n'a pas un regard pour eux : il s'adresse à Thierry. Surpris, les jumeaux se rassoient silencieusement.

— Tout d'abord, on ne prend la parole que lorsque je vous y ai autorisé. Ensuite, on s'adresse à moi poliment, en disant, comme je vous l'ai indiqué ce matin, « M. Ducousset ». C'est même encore inscrit au tableau noir. Enfin, on ne dénonce pas ses camarades, encore moins sans preuves.

— Mais, Monsieur, je les ai vus pendant la récréation.

— Vous n'apprenez pas très vite, mon grand ! Peut-être que quelques heures de retenue vous aideront. Veuillez empaqueter vos affaires, et suivez-moi. Jean et vous allez faire connaissance avec la salle d'étude.

La classe reste bouche bée. Personne n'aurait jamais imaginé que Thierry puisse être puni pour si peu. Ils se tiennent tout droits comme des piquets, de peur de faire partie de ce convoi de mauvaises graines.

Quand les deux comparses pénètrent dans la grande pièce réservée aux punitions, un froid polaire règne. Elle semble vouloir faire comprendre aux fauteurs de troubles qu'ils n'ont pas intérêt, pour leur santé, à s'y attarder.

M. Ducousset donne ses instructions.

— Prenez une feuille vierge et un crayon de bois que vous pouvez emprunter dans ce pot, Jean. Inscrivez votre nom en haut à gauche, puis vous recopierez cent fois chacun la phrase que je vous note sur le tableau. Pour vous, Jean : « Sans matériel, pas de classe, seulement des heures de retenue. » Pour vous, Thierry : « Je ne me montrerai plus insolent envers M. Ducousset. » – comme cela vous retiendrez peut-être mon nom.

Thierry se met déjà à l'ouvrage, Jean reste immobile.

— Quelque chose ne va pas, Jean ?

— C'est que, M. Ducousset, je ne sais pas encore écrire. Je croyais que j'allais l'apprendre en classe avec vous.

— Quoi de mieux que la pratique, justement ?

— La lecture, peut-être ? Vous pourriez plutôt me donner quelque chose à apprendre ?

— Jean, qui est le professeur, ici ? Cela vous semble-t-il normal de me suggérer votre punition ?

Jean baisse les yeux. Thierry continue ses lignes d'écriture. Il en est déjà à la sixième.

— Messieurs, si je n'ai pas été assez clair quant à mes attentes, montrez-moi vos mains et le bois de ma règle va être plus convaincant.

Jean tend ses paumes, quand Thierry secoue la tête pour lui faire comprendre de les ranger.

— Très bien, vos camarades m'attendent. Je ne veux pas entendre un bruit, aucun bavardage, sinon… la règle ! dit-il en la frappant sur le pupitre. Suis-je clair ?

— Très clair, M. Ducousset ! répondent les deux garçons en chœur.

Le maître sort, en jetant un œil à la feuille de Thierry, et conclut :

— Vous me ferez le plaisir de recommencer, en numérotant chaque début de ligne de 1 à 100 : ce sera un gain de temps pour vérifier le nombre de phrases.

La porte claque derrière le professeur et les deux garçons sursautent. Thierry attrape une autre feuille vierge et enchaîne les numéros, puis les mots. On dirait qu'il a fait ça toute sa vie.

Jean, lui, regarde le tableau puis sa feuille et tente de recopier à l'identique. Il jette de furtifs coups d'œil sur son voisin de gauche, pour ne pas oublier les instructions. *Mettre son nom en haut à gauche, débuter chaque ligne par un numéro.* Quand il prend du recul pour regarder sa première phrase, il est assez fier de lui : chaque lettre est bien arrondie – les crayons de papier sont bien plus commodes que ces maudites plumes. Jean est impressionné du résultat, lorsque, tout à coup, il prend conscience que sa ligne n'est pas droite sur la feuille. C'est ballot !

Il part sur l'idée de continuer quand son coude heurte Thierry. Le grand dadais lui jette un regard surpris :

— Mais qu'est-ce que tu fais ?

— Ça se voit, non ? J'écris.

— Mais prends donc la bonne main, mon vieux !

Jean regarde celle qui tient la mine et ne comprend pas : elle est tout ce qu'il y a de plus normal, cette main gauche !

— OK, j'ai compris, je vais faire attention à ne plus te toucher. Désolé, Thierry.

— Fais ce que tu veux. Moi, je dis ça pour toi ! C'est juste que le maître…

— M. Ducousset, tu veux dire ?

— Oui, M. Ducousset, il va te faire rencontrer sa règle si tu n'écris pas avec la main droite. C'est obligatoire dans sa classe.

— Qu'est-ce que ça peut bien faire ? Main droite, main gauche ?

— Pour lui, si tu écris de la mauvaise main, c'est que tu n'es pas normal. Tu as envie qu'il se rende compte que tu es différent ?

— Ça me passerait bien au-dessus de la casquette ! Si ça fait si plaisir à M. Ducousset, je vais changer. Cela ne doit pas être bien sorcier si tout le monde y arrive !

Jean passe le crayon dans son autre main, mais déjà le bout de bois glisse le long de ses doigts. Il essaie de former les premières lettres. Catastrophe ! Les courbes se sont transformées en hexagones. Rien ne vient naturellement. Chaque mot semble se coucher sur le précédent et dégringoler toujours plus vers le bas de la page.

— Elle m'énerve, cette main : elle n'obéit à rien. Moi qui ne savais déjà pas bien écrire, là, ça va me prendre des heures de faire cent lignes.

— Surtout que tu vas devoir recommencer. Tu ne peux pas rendre une feuille avec seulement deux phrases en diagonale.

— Mais je vais y passer la nuit, si je dois recommencer, peut-être même la semaine ! Mémé va être inquiète si je ne rentre pas.

— Il te laissera retourner chez toi, ce n'est pas un pensionnat ici. Tu reprendras demain. Tu as intérêt à finir vite, sans ça, tu ne pourras jamais réintégrer la classe.

— Si c'est comme ça, moi, je n'aime pas l'école !

— Bienvenue au club !

30

On n'a pas élevé les cochons ensemble

Quand la cloche sonne la fin du calvaire, Jean est parvenu à recopier quatre phrases avec plus ou moins de succès, alors que Thierry, lui, a terminé.

Sur le chemin du retour, Jean n'attend pas Anita. Il est bien content de se retrouver seul pour réfléchir à sa décision : il ne souhaite pas raconter à Lucette ses nouveaux déboires, mais il ne veut pas non plus lui mentir. Il est face à un vrai dilemme qui, quel que soit son choix, risque d'attrister sa grand-mère. Surtout si elle apprend qu'on lui a volé le beau porte-plume qu'elle vient de lui offrir avec ses économies. Sans compter qu'elle risque de le punir en apprenant que le maître l'a placé tout l'après-midi en retenue.

Le jeune garçon a soudain une idée de génie : il va retourner voir la dame de la papeterie, celle qui semble amoureuse du boucher. Elle aura peut-être une autre mission à lui confier, une fois qu'il sera défait de sa dette.

Jean s'arrête un instant pour tenter de caresser le cheval et l'âne dans l'enclos. Ils ont l'air de lui réclamer des pommes pourries. C'est vrai que c'est presque l'heure de l'apéro !

Le petit garçon ramasse les fruits blets, puis les tend aux animaux, qui se montrent réticents à approcher :

— Allez, venez, vous n'allez quand même pas avoir peur de moi ? Je ne vous ferai pas de… Aïe !

Jean jongle : il vient de se prendre un coup de jus. Certains fils sont électrifiés, alors que rien ne l'indiquait. Jean avait déjà suffisamment mal à la main droite et au coude, pour ne pas en rajouter.

Il ramasse d'autres fruits, qu'il lance désormais prudemment, en cloche, bien loin des maudits barbelés, quand il entend rire derrière lui. Il ne manquait plus que ça ! Il se ridiculise et, par-dessus le marché, il a du public. Si cela pouvait ne pas être encore des abrutis, qui cherchent à lui faire des misères, ce serait mieux : il en a eu assez pour aujourd'hui. Il s'en souviendra, de sa rentrée en onzième ! Il reprend son chemin en accélérant, sans se retourner pour identifier l'auteur de la moquerie.

— Jean, attends-moi ! Je suis essoufflée.

Le petit garçon jette un œil furtif derrière son épaule et découvre, soulagé, Anita.

— Mais pourquoi tu détales comme un lapin ? Ça s'est mieux fini avec ton maître *tantôt* ?

— Humm ! Ne m'en parle pas. Tu connais la salle d'étude ?

— Ma préférée ! Pense à mettre deux pulls la prochaine fois.

— Et toi, ça s'est bien passé ?

— Bof : certains se sont moqués de moi, mais je n'ai rien compris. Tu sais ce que c'est, toi, une péripatéticienne ?

— C'est comme « péripate », ça. C'est une sorte de mille-pattes.

— Tu es sûr ? Ils parlaient de ma mère : ça ne peut pas être ça ! Attends, faisons comme les professeurs, et cherchons les racines. On entend clairement…

— « Pâté » et « icienne », commente Jean.

— Comme « magicienne du pâté », continue la fillette.

— Donc, si on réfléchit : ça doit être…

— Une charcutière ! répondent-ils en chœur.

31

Les copains d'abord

Octobre 1968. Les premiers mois en tête-à-tête avec Lucette se sont écoulés très vite. Rythmés par les journées à l'école, et par quelques lettres de Marie, qui ne racontaient pas grand-chose, si ce n'est qu'elle ne semblait toujours pas en mesure de le reprendre. Jean était tout de même content : plus de maudites cartes impersonnelles adressées à Lucette, mais des « tu me manques » ou encore des « je pense fort à toi ». Invariablement, il lui répondait par un petit dessin, qu'il postait, au petit bonheur la chance.

Une fois M. Ducousset neutralisé et les jumeaux écartés par Thierry, Jean se révèle bon élève et l'école devient même divertissante à ses yeux.

À Jules-Ferry, plein d'intervenants viennent faire des expositions de bestioles desséchées et empaillées. Cela a un succès fou auprès des élèves. Jean aime s'imaginer qu'elles sont encore vivantes. Cela lui rappelle son père, qui lui ramenait des tas d'animaux exotiques de ses longs voyages à l'autre bout du monde, parfois vivants, comme un fouette-queue, ou alors naturalisés, comme le petit crocodile qu'il avait tant adoré.

À l'école, celui qui impressionne vraiment le jeune garçon est Oscar, le squelette de la salle d'étude. Jean a l'impression qu'il s'agit d'un élève mort suite à une punition qui aurait duré trop longtemps (et mal tourné). C'est peut-être un présage, ce qui l'attend s'il continue à être retenu. « Quand on n'a pas de tête, on a des jambes » : cet adage, il commence à le connaître par cœur. Lorsque ce ne sont pas cent lignes à recopier, c'est Lucette qui lui en serine les oreilles. À croire qu'il le fait exprès.

L'avantage de la salle de punition, c'est qu'il y est libre de rêvasser et, surtout, qu'il n'y va jamais seul. Du coup, Jean s'est fait plein de copains. Son meilleur ami est Thierry Legrand, le plus costaud d'entre eux. C'est mieux de l'avoir de son côté : les problèmes sont plus vite réglés. Notamment, quand il trébuche dans la cour, le gaillard dissuade les jumeaux de venir essuyer leurs semelles sur lui.

Achille est son autre grand camarade. Son truc, ce sont les insectes. Jean l'accompagne souvent en balade pour essayer d'attraper les papillons, mais il ne comprend pas pourquoi il faut absolument les tuer à la fin. En plus, après l'été, les rares lépidoptères ne sont déjà pas en très grande forme. Tout ça pour finir dans une boîte pleine de naphtaline. Cependant, comme Jean est curieux, il observe son ami ramollir les ailes, puis épingler le corps poilu, avant de déplier délicatement le papillon avec une pince. Parfois, l'attente entre les étapes le barbe, alors il reste des heures dans la chambre d'Achille à contempler le grand aquarium, sans eau, dans lequel son ami a réussi à installer toute une famille de fourmis. Jean aime étudier le comportement de ces insectes. Contrairement au potager, il peut voir ce qui se passe sous terre. Dans les galeries, il y a toujours de l'animation, en particulier si on a l'idée de leur créer des petites déviations ou de leur donner les restes du goûter.

Jean a un grand respect pour tous les animaux, y compris pour les moustiques qui prennent un malin plaisir à en faire leur casse-croûte. Le petit garçon est leur cible privilégiée, même lorsqu'il y a autour de lui tous ses cousins ou Lucette. Certains, à l'école, ne sont pas aussi respectueux que lui envers les bêtes. Il suffit de voir comment les jumeaux de sa classe ont torturé un malheureux orvet découvert dans la cour, pour comprendre comment ils auraient pu se comporter en temps de guerre. Sûrement pas en héros, comme le père de Jean.

Le chemin de l'école est toujours un moment de rêvasserie. Comme le dit Lucette, Jean est, de toute façon, toujours dans la lune. À 6 ans, Jean fait seul deux kilomètres pour se rendre à l'école : cela fait quand même huit kilomètres à pied, puisqu'il arpente les rues quatre fois par jour, en rentrant déjeuner le midi. Cela entretient le souffle et les jambes, surtout avec la pente du Calvaire et les marches de l'immeuble. Parfois Anita le rejoint, mais il ne l'attend jamais : il aime ses moments pour lui, où il peut fredonner à tue-tête sa chanson préférée en sortant de classe – « L'école est finie » –, tomber à sa guise sans avoir à essuyer la moindre remarque, ou, tout simplement, discuter avec les bêtes du champ d'à côté. Jean raconte toujours plein de blagues aux moutons, aux veaux et aux chevaux, mais ne leur parle jamais de M. Lestrange, le boucher. À quoi bon les effrayer pour rien, ils verront bien un jour par eux-mêmes !

À l'école Jules-Ferry, les élèves s'appliquent avec leur porte-plume et leur buvard à faire le moins de taches possible. Pour Jean, qui est gaucher, ces plumes sont une calamité.

À chaque fois qu'il réussit à tracer quelques mots sans dégâts – petit miracle, alléluia ! –, Jean finit toujours par faire baver toute la ligne avec sa paume. La règle de M. Ducousset lui a très vite fait comprendre que ça serait plus commode (et surtout moins douloureux) s'il voulait bien faire comme tout le monde et tenir sa plume dans sa main droite. À croire que ses camarades s'étaient tous donné le mot. Jean a maintenant bien saisi qu'il n'avait que le choix d'être droitier pour éviter les punitions !

En plus, pour une raison inconnue, même si c'est censé être l'encrier qui contient l'encre (petite précision pour les cancres), Jean arrive, par on ne sait quelle magie, à en avoir partout. Il est bleu du bout des doigts à celui du nez, dès la fin de la matinée. Et si le petit garçon parvient à ne laisser aucune rature ni bavure tout au long de l'exercice, il fait immanquablement de nouvelles taches juste en rendant la copie à son professeur.

Jean a toujours préféré les crayons à papier. Il passe son temps à les tailler et à sniffer les copeaux dans le réservoir du taille-crayon. Rien de mieux pour le jeune rêveur que l'odeur du bois fraîchement coupé : il n'a qu'à affûter la mine pour se retrouver en pleine forêt de cèdres. Le mieux, c'est encore qu'on a le droit de gommer. Là encore, la gomme a un parfum magique. Surtout les bicolores, avec leur côté bleu qui fait des trous dans les feuilles : au moins, la faute, on ne la voit plus ! Mais le top du top olfactif, c'est le petit pot de colle blanche avec sa pelle miniature glissée au centre. La reine des colles : Cléopâtre.

Jean apprend vite. Maintenant, devant M. Ducousset, il utilise la plume de sa main droite. Mais, de l'autre, avec un crayon de bois, il réalise, en secret, des merveilles : des dessins plus qu'époustouflants.

Le moment le plus sympa de la journée de classe, ça reste quand même la récré, avec les parties de billes entre copains. Il y a celles en terre, en verre, et les plus grosses : les calots. L'école compte un certain nombre de tricheurs, mais Jean s'en fiche. Il est bon perdant. L'important pour lui n'est pas de gagner, mais de participer : pour pouvoir échanger ses billes contre de nouvelles, à montrer à ses cousins !

Jean aurait aimé aller à la même école qu'eux, mais ils en fréquentent une encore plus loin, et pour Jean, faire huit kilomètres par jour suffit déjà bien comme ça. Après, sinon, ça userait trop ses souliers !

Quand le week-end arrive, le petit garçon est heureux de les retrouver et de passer du temps avec Tante Françoise. Celle-ci voit bien que Jean, même s'il ne prononce plus le prénom de sa mère, est nostalgique. Au bout d'un mois d'école, alors que les punitions se raréfient et que la bonne humeur est revenue, elle lui a réservé une petite surprise.

— Jean, j'ai quelque chose pour toi. À chaque rentrée, je te ferai un petit cadeau pour te féliciter de l'année passée. Tu choisiras, mais, pour cette fois, je te laisse découvrir. Avec un peu de retard. Tu veux bien ouvrir le paquet ?

Jean défait timidement le beau papier, puis finit par l'arracher complètement.

— Un carnet à dessin ! C'est fantastique ! Merci, Tante Françoise, dit-il en l'embrassant sur la joue, avant de continuer. En plus ça tombe bien : Thierry a récupéré le crayon et la plume que j'avais…

Lucette soulève un sourcil, Jean se reprend.

— Enfin, je veux dire que, grâce aux fournitures que Mémé m'a gentiment offertes et grâce à ces feuilles, je vais faire de magnifiques dessins. Je me débrouille pas mal, tu sais ! crâne-t-il. Quand j'ai un crayon de bois dans ma main gauche, là, je peux tout faire. C'est une autre paire de manches avec la droite... Je suppose que ça va venir avec le temps.

— Et avec beaucoup de patience et de travail, précise Lucette. Comme tout dans la vie !

Françoise soupire avant d'ajouter :

— Justement, ce n'est pas normal que cet enfant s'évertue de la mauvaise main. À Paris, on lui laisserait le choix. Ce professeur n'est qu'un vieux grincheux, qui ne sait pas vivre avec son temps.

— Françoise ! reprend Lucette.

— À Paris, je serais considéré comme « normal » ?

— Tu es normal, mon grand, continue Françoise. Dis-moi, que vas-tu nous faire en premier sur ce carnet ?

— C'est un secret.

— Tu me montres d'anciens croquis alors ? Que je voie ton talent.

— Ah, je ne peux pas, j'ai tout gommé. On n'est pas assez riches pour garder les feuilles avec tous mes « gribouillages ». Hein, Mémé ! Pour dire la vérité, Tante Françoise, si j'efface tout le temps, c'est parce que j'adore l'odeur de la gomme et du taille-crayon plein. Surtout celle des mines de la « salle de détention » : ça sent la forêt.

— À ce que je vois, il y en a qui voyagent en salle de retenue... plaisante Françoise.

— Bref, je te ferai montrer mes essais la prochaine fois.

— Tu veux dire que tu me « feras voir »…

— Bah, c'est exactement qu'est-ce que j'ai dit ! Je suis content, je n'aurai plus à récupérer des feuilles devant le bistrot dans la Haute-Ville.

Lucette grogne.

— Jean, je ne veux pas que tu rôdes près des bars et des cafés, c'est bien compris ?

— Oui, Mémé. Ne t'inquiète pas : je ne rentre jamais dedans. Je reste dehors à attendre qu'un coup de vent emporte les sets de table en papier. Moi, je suis caché, un peu plus loin. Je bondis et les attrape.

— Tant mieux, calme Françoise.

— De toute façon, je n'ai même pas une pièce à dépenser en bonbecs.

— Encore heureux ! s'indigne sa grand-mère.

— J'aurais quand même bien envie de goûter à la boisson rouge des Américains.

— Jean ! Tu veux finir comme ton père ? On commence comme ça et après on passe au jaune, dispute Lucette.

— Mais qu'est-ce qu'il a, mon père ? Y'en a qui croient qu'il a été un héros, Mémé.

— Pendant quatre ans de sa vie, peut-être, mais, depuis, il a fait quelque chose pour toi ?

— Oui, plein de trucs. Par exemple…

— C'était une question « rhétorique », Jean, lui souffle sa tante. Mémé n'attend pas de réponse.

— Mais j'en ai marre, à la fin, dit le petit garçon.

— Monsieur et Madame Neymar ont un fils… plaisante l'aîné des cousins.

— Gabin, tais-toi ! siffle sa mère.

— Si ton père était un vrai héros, il serait à côté de Jean Moulin au Panthéon.

— Il n'est même pas mort, mon père !

Mémé s'apprête à en rajouter quand Françoise intervient :

— Qui veut des croque-mor… Euh, des croque-monsieur tout chauds ?

32

Courir sur le haricot !

Depuis plusieurs jours, Jean est fâché contre Lucette. Elle attaque sans raison son père et cela commence à bien faire. Elle était où, d'ailleurs, quand le général de Gaulle « a lancé la pelle » ? Mémé Lucette lui répondrait volontiers qu'il avait la main trop lourde, mais cela ne se dit pas à un enfant.

Lucette sait que Jean boude. Si cet enfant se tait, ce n'est pas par envie : c'est un signe de rébellion. Et ça lui coûte énormément de rester silencieux, sans poser aucune question.

Le lundi suivant, Lucien vient frapper à leur porte. Contrairement à d'habitude, le jeune garçon ne se précipite pas pour lui ouvrir. C'est Lucette qui l'accueille, et, tout de suite, Jean constate quelque chose de différent.

— Il y a une lettre pour moi, je parie, demande-t-il, déliant sa langue.

— Malheureusement non, mon p'tit bonhomme.

— Mais alors pourquoi tu souris ?

— Lucette a reçu une bonne nouvelle.

— Qu'est-ce que c'est que tous ces mystères ? demande la grand-mère intriguée.

— Je n'ai pas ouvert, mais le timbre en dit long.

Jean et Lucette se penchent au-dessus de l'enveloppe et y découvrent une cigogne bleue.

— Et donc, la mouette, ça veut dire que Mémé doit être contente ? On en a tous les jours, des oiseaux qui viennent réclamer des bouts de pain sur notre rebord de fenêtre ! On n'en fait pas tout un fromage !

— Non, c'est autre chose… continue le facteur, amusé.

— Ouvre, Mémé, et dis-moi vite ce que c'est, s'il te plaît, lance Jean, oubliant ses représailles contre sa grand-mère.

La vieille dame lui rappellerait bien que « la curiosité est un vilain défaut », mais elle est trop heureuse de retrouver son petit Jean, pour placer un bon mot. Lucette chausse ses lunettes et extrait un magnifique faire-part.

— Oui, c'est ça, le petit des cousins est né. Michel ! Encore un garçon. Tu sais, ta mère a habité chez eux, à Paris.

— Pourquoi ils nous envoient une carte ? On le savait déjà qu'il allait naître, ce bébé : il n'allait pas rester tout le temps dans le ventre, quand même.

— Pour le baptême, pardi !

— Encore l'église ! Mais on y va tout le temps. Ça commence à bien faire, Mémé !

— Oui, mais tu n'y vas pas souvent… à Paris !

Paris ! Jean manque de tomber.

— Toute la famille sera là. Chez nous, les baptêmes, c'est une fête, encore plus que Noël.

— Il faut quand même pas pousser, Mémé ! Personne n'est plus fort que le Père Noël, pas même le petit Jésus. Au fait, j'ai été baptisé, moi ?

— Bien sûr que tu as reçu le saint sacrement. Je n'ai pas vraiment laissé le choix à Marie, déjà que…

— Déjà que quoi ?

— Rien, mon petit. Je disais ça comme ça.

— Et donc, il aura lieu quand, ce baptême ?

— Avant les un an du petit, c'est la tradition. Là, ils annoncent le 16 juin ! Encore huit mois à attendre. Tu seras sûrement déjà devenu un titi

164

parisien. Peut-être même que ce sera moi, qui dormirai sur ton matelas à la capitale ?

— Ah, non ! Pas question : j'aurai un vrai lit avec une grande chambre rien que pour moi ! On pourra partager.

Jean observe l'enveloppe et commence à douter.

— Mémé, tu es sûre que je suis invité ? Il n'y a que ton nom sur le carton.

— Bien sûr, tout le monde est le bienvenu, c'est une fête de famille.

— Mémé ?

— Quoi encore ?

— Tu crois que Maman aussi, elle y sera ?

— C'est certain. Elle est la marraine du petit.

33

Et les Mistral gagnants

Les saisons passent et la vie normande de Jean et Lucette suit son cours. Quand enfin les fleurs envahissent les branches jusque-là dénudées, le petit garçon sent que l'heure approche.

Juin 1969. Depuis que Marie est partie, onze mois ont passé. Jean a bien grandi. Lucette lui a tricoté des pulls gigantesques dont il déplie les revers de manche, au fur et à mesure qu'il s'allonge. Il est allé chez le coiffeur et a demandé la coupe à la mode : celle en brosse. C'est *Bonne Soirée*, le journal de Tante Françoise, qui en faisait l'éloge. Lucette était contente : elle n'aurait pas aimé qu'il choisisse une version très chevelue, comme celle des yéyés.

À quelques jours du baptême, Jean ne décolle plus de la fenêtre. De la vue plongeante sur la gare, le jeune garçon observe les trains qui partent pour Montparnasse. Bientôt ce sera son tour ! Et il la retrouvera enfin.

Onze mois sans se voir, sans entendre le son de sa voix, sans retrouver son parfum qui lui échappe. Hormis une demi-douzaine de courriers échangés entre eux, l'absence a été pesante, leur correspondance n'effaçant pas le manque. Les progrès de Marie pour trouver leur nid douillet se sont révélés décevants de lenteur. Malgré tout, Jean a gardé chacune de ses lettres, les a lues et relues avec passion, humées, placées sous son oreiller, partagées avec Anita, toujours plus curieuse, avant de les ranger pieusement dans sa petite valise.

Le jour J, celui du baptême, Mémé a revêtu sa tenue la plus coquette. La robe noire du dimanche ornée d'un collier de perles. Des vraies ! Même Jean est propre comme un sou neuf. Il a fait une toilette complète : ses cheveux sentent le savon, et même ses chaussures sont astiquées.

Le jeune garçon n'a rien laissé traîner chez Mémé Lucette. Toutes ses affaires sont pliées et empaquetées avec soin dans sa petite valise blanche. Il ne faudrait rien oublier si sa mère décidait de le reprendre sur-le-champ. De toute façon, il ne l'a jamais vraiment défaite : il se savait en transit, prêt à rejoindre sa destination finale aussitôt qu'on lui donnerait le feu vert. Le jeune garçon n'a jamais été aussi prêt.

Avant de partir, Jean passe saluer Anita. Depuis le temps qu'il lui parle de Paris et de sa mère, la jeune fille est tout excitée pour lui : elle ne se gêne pas pour lui sauter au cou en lui souhaitant « bonne chance ». Il prend soudain conscience que c'est peut-être la dernière fois qu'il la voit. À cette pensée, il reste muet : il ne veut pas la chagriner pour rien. Malgré l'enthousiasme du petit garçon, le cœur d'Anita se serre : elle vient de remarquer la valise recouverte d'autocollants qu'il ne desserre pas de sa petite main. Elle espère qu'il rentrera. Elle a déjà perdu sa sœur, il ne manquerait plus qu'elle perde son meilleur ami. S'il doit vraiment partir, qu'il repasse la voir au moins un petit peu, le temps de finir leur année scolaire, et peut-être même de passer un bout d'été ensemble. À tout bien réfléchir, un seul souhait s'impose à elle : que Jean soit enfin heureux !

Le train a du retard. Jean ne veut pas y voir un mauvais présage. Le wagon est censé être à quai puisque Granville est la première étape de ce trajet vers Paris, mais la micheline se fait désirer. Le jeune garçon trépigne. Il ira à Paris aujourd'hui : par ce train ou avec ses guiboles, s'il le faut.

Quand enfin l'autorail de 11 h 50 arrive et que le chef de gare les laisse monter, il y fait bien trop chaud. Douze stations séparent Jean de sa mère. Il compte chaque arrêt, bien trop excité pour s'endormir. De toute façon, avec tout le raffut que fait le nouveau-né de la banquette opposée, cela aurait été digne du *Guinness Book des records*. Même Lucette, ne parvenant pas à se rendormir sur le siège voisin, finit par ronchonner :

— C'est à dégoûter les voyageurs de devenir parents. Enfin... si c'était une question de choix.

Lorsque le train déverse ses voyageurs sur le quai de Montparnasse, Lucette file à toute allure entre les badauds. Elle n'aime pas la capitale et ne compte pas traîner. Jean, lui, peine à suivre : il cherche sa mère dans la foule. Son regard s'accroche à chaque femme avec espoir. Il est sûr qu'elle est là, quelque part, à l'attendre. Pour lui faire une belle surprise, pour lui montrer, à sa façon, à quel point il lui a manqué, à quel point elle n'en pouvait plus de l'attendre. Jean espère, Mémé accélère : elle sait où la retrouver.

Les cousins de Paris ont fait les choses bien. Ils ont choisi l'église la plus proche de la gare : Notre-Dame-des-Champs. La grande majorité des Normands et Bretons habitent ce quartier, fort commode pour rejoindre rapidement leurs

169

terres natales. D'ailleurs, des effluves familiers de galettes et de poissons lui chatouillent les narines.

À tous les coins de rue, Jean croit deviner la silhouette de sa mère chez chaque passante, mais ne la distingue jamais. Quand ils prennent place dans l'église, ils saluent tout un tas de personnes, mais elle n'est toujours pas là.

La cérémonie commence enfin. Le petit garçon est nerveux, si fébrile qu'il en tremble. Il sent même la nausée le gagner. Il passe son temps à se retourner, mais ne la voit pas. Elle est en retard, mais il est confiant : elle va venir, elle a un rôle important à jouer.

Une dame tout en vert, bandeau dans les cheveux et pantalon pattes d'éléphant émeraude, trotte de ses hauts talons vernis blancs jusqu'au premier rang. Le cœur de Jean s'arrête.

Il ne reconnaît pas cette personne à la chevelure peroxydée et toute gonflée sur le dessus, mais il identifierait entre mille cette odeur : tabac, citron et touche de miel, même si l'arôme des feuilles à rouler a désormais pris le dessus.

Lorsque Marie se retourne vers le fond de l'église, elle ne discerne pas non plus cet enfant qui plonge sa tête dans l'allée. Lucette passe son temps à essayer de capter l'attention de son petit-fils distrait. D'après elle, la cérémonie est très belle, et pourtant elle en a vu d'autres. Jean a plutôt l'impression d'avoir assisté à la tentative de noyade d'un bébé, initiée par ses propres parents.

À la sortie de l'église, vers 19 heures, c'est la bousculade. La famille a faim et tous se ruent vers la salle des fêtes, louée spécialement pour l'occasion. Jean ne peut que distinguer la silhouette de sa mère se faire happer par la foule. Placé dans l'angle de la pièce, il guette l'entrée. Il l'a perdue de vue, mais c'est une évidence – encore une question de mathématiques : elle va devoir entrer par cette porte. Alors, il lui fera signe de la main. Il a tellement grandi, peut-être ne l'a-t-elle pas reconnu.

Lucette ne lâche pas Jean d'une semelle. Même Tante Françoise, qui est de la fête, cherche à le divertir. Elle lui raconte par le menu son périple en 2 CV capricieuse. Elle n'arrête pas de papoter et en devient usante pour les nerfs du jeune garçon, qui la préférerait muette comme une carpe.

— Tu sais, Jean, que Michel, c'est ton petit-petit-cousin germain ? Attends, à moins que je ne me trompe. Euh…

Mémé s'est postée près du buffet et n'en décolle plus. Comme une moule à son rocher. Elle, qui n'a pas mangé à sa faim depuis près d'un an, semble rattraper le temps perdu. Jean, lui, n'a toujours pas recouvré son appétit.

La salle est complètement enfumée : tous les convives saluent le bébé, la clope au bec. Si l'odeur des cigarettes n'a jamais dérangé Jean, la fumée dégagée lui obscurcit la vue, et il commence sérieusement à douter de pouvoir la retrouver.

Où peut-elle donc bien être ?

Jean ne tient plus en place. Il tangue, gigote de gauche à droite : il doit aller faire pipi, mais il ne veut pas la louper. Et si elle le cherchait ? Si elle repartait sans l'avoir trouvé ? Il se retient, mais sent que sa vessie, qui lui avait laissé un sursis, s'apprête à être moins indulgente. Il n'aurait pas dû boire tout ce jus d'orange Tang !

Chez les dames, il y a une foule incroyable devant les cabinets dont quelques visages qui ne lui sont pas étrangers. Personne, en revanche, chez ces messieurs, où le petit garçon s'engage sans hésiter. Une fois soulagé, il ressort, quand il reconnaît soudain une voix familière, même si elle est devenue plus rauque, peut-être à cause des cigarettes sans filtre. Il passe une tête dans les toilettes des femmes et toutes s'émerveillent sur son passage.

— Marie, regarde qui est là ! Comme il est mignon !

— Qu'est-ce qu'il a grandi !

Marie s'est figée contre le rebord du lavabo et l'observe dans le reflet du miroir. Elle referme son lipstick et affiche un sourire maladroit.

— Comment il s'appelle déjà ? continue une des cousines.

— Jean ! répond sa mère, en ouvrant ses bras. Viens me faire un câlin, mon grand. Cela fait si longtemps. Tu vas bien ?

Le jeune garçon l'enserre d'un seul bras : il est embarrassé de sa valise, qu'il n'a pas voulu lâcher, même pour un instant. La jeune mère l'embrasse sur la joue et laisse une marque de rouge à lèvres, qu'elle essuie aussitôt.

Jean n'arrive pas à articuler un mot. Il avait pourtant tant de choses à lui dire. À croire que cette foule féminine, qui ne cesse de le dévisager, de le toucher ou encore de lui caresser ses cheveux « parce que c'est doux comme un hérisson », le gêne. À moins que ce ne soit l'émotion qui le tétanise. Marie propose gentiment :

— Tu aimes toujours les bonbons ?

Le fils hoche la tête. Sa bouche est sèche : sa salive, comme sa langue, semble avoir pris la poudre d'escampette. La jeune mère saisit une poignée de friandises dans une coupelle placée à côté des lavabos.

— Moi, je ne peux plus en manger. J'ai perdu mes molaires – tu sais, les dents pour mâcher –, quand j'étais enceinte de toi, d'ailleurs. Allez, prends-en.

Jean regarde ces papiers aux multiples couleurs. Après mûre réflexion, il en choisit un vert. Marie l'encourage :

— Non, vas-y, prends tout. C'est pour toi.

Jean remplit ses poches, mais elles débordent. Quand il relève la tête, Marie est en train de remettre son sac à main sur l'épaule et s'apprête à suivre les filles de son âge, qui quittent déjà la fête.

— Mais tu vas où ? lui demande-t-il de sa petite voix d'enfant.

— En discothèque, avec mes cousines. Mais avant, je veux leur montrer la vraie vie parisienne.

Devant la bouille incrédule de Jean, Marie s'arrête, pose un autre baiser sur sa joue et ajoute :

— Je suis désolée. Je n'ai pas eu le temps de t'écrire autant que je l'aurais voulu. Elle était belle, la carte que je t'ai envoyée avec la tour Eiffel. J'espère que tu as eu le temps de la voir en vrai !

— Tu viens, Marie ? On t'attend ou pas ?

Elle regarde ses cousines, puis son fils, et répond :

— J'arrive. À bientôt, Jean. J'espère que Mémé Lucette s'occupe bien de toi. Elle peut être un peu revêche parfois, mais elle a bon fond.

Sur ces mots, la belle jeune femme, la plus jolie des cousines, ébouriffe à son tour les cheveux de son fils, laisse une nouvelle marque de rouge à lèvres sur sa peau et tourne les talons vers le monde parisien qui l'attend.

Jean, lui, reste seul, dans ces toilettes pour dames qui sentent le patchouli et le tabac. La main sur sa joue où le dernier baiser chauffe encore, il laisse ses yeux couler pour noyer son chagrin, puis, quand une dame entre dans les cabinets pour femmes, il ressort en frottant fortement la marque rouge de ses doigts graciles.

Même pas mal !

34

Faire contre mauvaise fortune bon cœur

Dans le train du retour, Jean reste silencieux. Il n'a pas décroché un mot depuis la veille. En sortant des toilettes, les yeux rougis, il avait enlacé Mémé Lucette, toujours accolée au buffet, et l'avait suppliée de rentrer. *Maintenant.*

Son nounours serré contre lui, il observe, la tête posée sur la vitre, le paysage brumeux qui défile sous ses yeux. *Partir, loin et vite. De Paris. D'elle.*

Quand une des friandises tombe de sa poche, il la jette directement dans la poubelle. À partir de ce jour-là, Jean a détesté les bonbons et a sérieusement commencé à lui en vouloir.

Lucette essaie de lui faire un brin de causette, mais le petit garçon l'ignore. Il ferme les yeux et fait semblant de dormir, pour oublier que le mal a été fait. On ne lui avait rien promis, mais il avait tant espéré. Trop peut-être.

Sous ses pieds, sa valise, qu'il avait emportée, au cas où. Il la remporte, avec sa rancœur et son cœur en morceaux.

Il a pris sa décision : tous ses demains se feront désormais sans elle. Il ne veut plus rien attendre d'elle. Jamais. Il sera peut-être enfin heureux ainsi. Ce sera pour le mieux, car, de toute façon, le pire est derrière lui. Dans le meilleur des mondes possibles.

Alors que Lucette s'éclipse un instant pour se dégourdir les jambes, Jean, de son doigt gauche, écrit « Maman » sur la buée de la vitre, puis, d'un revers de la main, l'efface et trace de son index droit « Ma mère ». C'est à ce moment-là précisément que, pour Jean, Marie, tombée de son piédestal, est devenue *sa mère*.

35

Ça va barder !

Arrivé chez sa grand-mère à Granville, Jean voudrait s'échapper, se cacher, mais, déjà, Anita vient gratter à la porte. Lucette la laisse passer alors qu'elle-même monte voir son amie à l'étage du dessus.

La jeune fille guettait leur retour depuis des heures, postée à la fenêtre, à observer la gare. Jean n'a pas envie de lui parler, cependant Anita semble s'en contreficher. Elle a une bonne nouvelle pour eux : les lignes ont été installées dans l'immeuble, et Mme Bellanger a désormais le téléphone. Anita supplie Jean de monter voir l'appareil.

— C'est extraordinaire. Tu vas pouvoir appeler ta Maman, Jean. Toi qui en rêvais.

— Je n'ai rien à dire à ma mère. Et à toi non plus. Laisse-moi tranquille.

— Qu'est-ce qui s'est passé ? Tu ne l'as pas vue à Paris ?

— Je n'ai pas envie d'en parler. Va-t'en !

Quand Anita remonte, penaude, elle découvre Mme Bellanger sur le seuil de leur propre appartement, l'oreille collée à la porte. La fillette se faufile près de sa mère d'adoption et essaie, elle aussi, d'écouter. À l'intérieur, Lucette est dans une colère telle qu'il n'est absolument pas nécessaire d'avoir l'ouïe fine pour saisir ce qu'elle dit.

Anita comprend tout à coup que Lucette a sauté sur l'occasion en découvrant le téléphone chez son amie : son premier coup de fil est un coup de massue qu'elle assène à son interlocuteur. L'échange est bref, mais Anita n'est pas certaine qu'elle aurait souhaité en entendre plus.

— Plus tard, plus tard ! Tu n'as que ces mots à la bouche. J'ai déjà été patiente. Pense à lui. Ce n'est pas une vie d'attendre comme ça. Tu dois reprendre ton rôle de mère.

De nouveau, un silence fait tressaillir les deux espionnes, de peur de voir la porte s'ouvrir soudainement. La conversation reprend de plus belle :

— Non, ce n'est pas qu'une question d'argent, arrête de me prendre pour une grippe-sous ! Je te parle de survie ! Mais puisque tu me penses assez mesquine pour cela, alors c'est vrai que tu dois être sacrément occupée à Paris à t'acheter tous ces nouveaux vêtements, à dépenser tout ton salaire en boissons et cigarettes, pour oublier de m'aider à payer les dépenses de ton fils. Pour oublier de lui écrire, tout court. Dis-moi, tu penses à lui parfois ? Au mal que ton absence lui fait ? Ça ne te viendrait pas à l'idée de lui donner de tes nouvelles ou, au moins, faire semblant de prendre des siennes ? Tu te souviens qu'il a fait sa rentrée en onzième ? Qu'il y a eu Noël ?

Nouveau silence. Anita a envie de pleurer, elle ne veut même pas croiser le regard de Mme Bellanger. Elle a compris avec qui parle Lucette, et ces révélations ont levé le voile sur un an de mensonges.

— Qu'est-ce que tu dis ? Tu crois que je lui parle de toi en mal ? Je suis de *ton* côté, Marie ! Je veux t'aider, mais je ne peux plus continuer comme ça. Je ne peux pas le garder. Je n'y arrive plus.

Cette dernière phrase claque, comme le combiné neuf du téléphone qui ricoche sur le guéridon, suivi des pas lourds de la vieille dame qui empoigne la porte d'entrée avec fureur.

Anita frissonne : Lucette veut abandonner Jean. C'est affreux pour le petit garçon et tout sauf une bonne nouvelle pour elle. C'est qu'il est devenu bien plus qu'un meilleur ami dans son cœur.

36

La bave du crapaud

De retour chez elle, la grand-mère retrouve le petit garçon assis à la table de la cuisine, qui l'attend.

— Mémé Lucette, pourquoi elle est *comme ça*, ma mère ?

— Qu'est-ce que tu veux dire, mon petit ?

— Pourquoi, à un moment, elle me fait des câlins, elle m'écrit des lettres pleines d'amour et, l'instant d'après, je n'existe plus pour elle, elle m'oublie. Comme si je ne comptais plus ?

— C'est ce que tu ressens ? N'a-t-elle pas toujours été ainsi ? Très enjouée, puis, d'un coup, très triste aussi ?

— Oui, quand elle habitait avec Papa. Mais il n'est plus là : qu'est-ce qui l'empêche d'être heureuse ? Pour tout te dire, j'ai plutôt l'impression qu'elle est très contente à Paris, sans moi. Elle peut sortir, s'acheter des beaux vêtements, du maquillage, aller en discothèque.

— C'est vraiment ce que tu penses, Jean ?

— Oui, je crois que je ne lui manque pas du tout, en vérité. Mais je m'en moque : je ne veux plus jamais la revoir, plus jamais habiter avec elle.

— Mon garçon, tu sais que c'est impossible. Marie est ta Maman.

— Ma mère !

— Elle fait de son mieux pour te reprendre au plus vite, tu le sais quand même ?

— Je ne te crois pas ! Je n'y crois plus.

— Elle va revenir. Un jour… Bientôt. Et tu devras la suivre. Vous êtes une famille. Ta place n'est pas à mes côtés, mais avec elle.

— Je ne veux *jamais plus* recevoir de ses nouvelles. Si elle envoie des lettres, jette-les. Je ne veux pas les lire, et je ne lui écrirai plus non plus. Ses mensonges : elle peut les garder.

Lucette voudrait dédramatiser, mais elle n'insiste pas. Même pour elle, l'heure est grave.

Cela fait des mois que Lucette ne dit rien de ces absences, de ces lettres inexistantes, de cette unique carte qu'ils ont reçue de Marie, et qui ne renfermait même pas l'espoir de contenir un peu d'argent pour les aider, ni même un simple mot d'amour pour son fils.

Jean, qui n'avait cessé d'espérer, est brisé. Il ne veut plus jamais qu'elle revienne. Il est passé à autre chose. Sans elle. Il a fermé son cœur à sa Maman. Pour toujours.

37

Conter fleurette

Lucette ne parvient pas à dormir. Elle a mal partout, mais ce n'est pas cela qui l'empêche de trouver le sommeil.

Son corps vieillit : chaque marche à grimper devient un véritable Éverest, chaque réveil matinal de Jean se révèle difficile pour elle, qui aurait bien besoin de dormir quelques heures de plus. Heureusement que Françoise prend parfois le relais le week-end, sinon, elle sait qu'elle faiblirait encore plus rapidement.

En réalité, ce qui lui fait le plus mal reste la souffrance de Jean. Ce n'est plus un enfant. Il comprend désormais les mensonges derrière les absences de sa mère. Ou tout du moins une partie d'entre eux : il les devine, les ressent dans sa chair.

Jean croit au Père Noël, comme il croit à la bonté de chaque être humain. Lucette a seulement essayé de combler les manquements de sa fille. Comment faire tenir un gamin avec des « bientôt » pendant près d'un an, quand sa maman ne donne ni nouvelles, ni n'appelle personne, laissant derrière elle un gosse, comme on place un objet de valeur en gage, en se disant qu'on le reprendra sûrement un jour – mais pas tout de suite.

Dans cette famille, ils n'ont jamais été capables de se dire les choses, encore moins si cela touche aux sentiments. Ils s'aiment, mais sont tous bien meilleurs à l'écrit qu'à l'oral. Marie aussi. Lucette surtout.

La grand-mère s'était longtemps interrogée : a-t-elle bien fait d'initier cette correspondance fantomatique ? Désormais, elle culpabilise : n'a-t-elle pas jeté de l'huile sur le feu ? Fait empirer les choses en attisant les espoirs de Jean ? Lucette n'a pas eu besoin de la Première chaîne de télévision pour lever le voile sur l'identité du plus grand fantôme de Paris. Il ne s'appelle pas Belphégor, mais Marie.

Jean a besoin de sa grand-mère plus que jamais, mais c'est trop de pression, trop lourd à porter pour la vieille dame. Elle n'est pas éternelle. Elle se sent fatiguée et a eu son lot de gamins à élever. Elle rembobine ses souvenirs comme une pelote : jamais, elle n'avait prévu de s'occuper de son petit-fils après ses sept enfants.

Avec difficulté, elle s'extrait du lit, puis allume la petite lumière de son écritoire. Elle s'était promis de ne plus le faire, mais les choses se sont dégradées avec leur visite à Paris, et elle n'a pas vraiment le choix. Le cœur de Jean est à reconquérir. On ne peut pas laisser un enfant détester sa mère. Il a besoin de sa maman autant qu'il pense avoir besoin de sa grand-mère.

Elle saisit sa plume, sort une belle feuille beige à gros grain de son carnet de correspondance, puis trempe la pointe dans l'encrier et commence à écrire. Pour rédiger la lettre qu'elle s'était juré de ne plus écrire.

Mon Jean adoré…

38

C'est parti, mon kiki !

Lorsque Lucien arrive le lendemain avec une lettre de Marie, Jean l'attrape et la met directement à la poubelle, sous les yeux ahuris des deux complices.

Pendant les semaines de juillet 1969, le garçon refuse de parler d'elle et se ferme comme une huître. Il passe ses journées à dessiner au crayon des ciels de pluie, alors que l'été débute. Jean ne souhaite même pas aller chez ses cousins pour assister à l'alunissage d'*Apollo 11* diffusé sur l'ORTF. Il ne se sent déjà pas à sa place sur terre, pourquoi rêver devant la Lune ?

Le petit garçon ne bavarde plus, délaisse ses assiettes, ne s'interroge plus à chaque pourquoi de la vie. Il suit sa grand-mère tristement, quand il y est obligé. Même les relations avec ceux qu'il a toujours portés dans son cœur s'assombrissent : il se dispute avec ses cousins, ses amis Thierry et Achille, et même avec Anita. Personne ne le comprend. Personne ne peut l'aider.

En attendant, Lucette n'a toujours aucune nouvelle de Marie. Françoise a, elle aussi, bien essayé de téléphoner à sa sœur, mais à part un « Mêle-toi de tes affaires, je fais ce que je peux », elle n'a pas réussi à sauver la situation avec la mère du petit. Non pas que leur différence d'âge et de tempérament leur ait permis d'avoir auparavant une relation particulièrement complice, mais, là, c'est carrément la fin de l'entente cordiale et des négociations. Une autre guerre froide, où Jean serait le seul vrai perdant.

Soudain, une nuit, Lucette a la révélation. Elle a trouvé comment changer les idées de son petit-fils. Elle le réveille en plein rêve.

— Et si on déménageait ?

Embourbé dans un songe pas désagréable, Jean ne sait plus si c'est du lard ou du cochon. Sa grand-mère s'emballe. On dirait qu'elle vient de recevoir sa commande aux Bergères de France.

— J'ai envie de changer d'air. On prendrait quelque chose de plus grand et de plus moderne. Pour tous les deux. Qu'en dis-tu, Jean ?

Ahuri, le petit garçon reste sans voix. Il sourit timidement, il n'ose espérer que tout cela soit vrai, puis soudain saute au cou de sa grand-mère, qui tombe à la renverse. Des sensations fortes comme celle-là, cela faisait longtemps que Mémé Lucette n'en avait pas connu. Le lende-main, l'appétit et la parole du petit garçon sont de retour. Jean est de nouveau heureux.

Il va enfin avoir un endroit qu'il pourra appeler « ma maison ».

39

En avoir gros sur la patate !

Jean a peiné pour se rendormir. Il a imaginé toute la nuit sa nouvelle demeure, du simple lit au château avec vue sur mer. Il ne faut jamais être pauvre ou modeste dans ses rêves ! Au petit déjeuner, il est intarissable.

— Et on déménagerait où, Mémé ?

— On resterait à Granville. Depuis le temps que la mairie me pousse à prendre un logement plus moderne, ils seront d'accord. Ils ne cessaient de me rabâcher les oreilles avec leur « À votre âge, Lucette, un ascenseur, des cabinets et l'eau courante, ce ne serait pas du luxe. Pensez-y ».

— Hein, c'est vrai, Mémé, qu'on aura un téléphone chez nous ?

— J'aime quand tu dis « chez nous », mon petit. Oui, c'est prévu.

— Et un frigidaire, aussi ?

— Ce n'est pas la commune qui va nous le fournir. Alors ça va être compliqué : tu sais que ça coûte cher, un réfrigérateur !

— Il faudra économiser beaucoup de sous, alors ! Rappelle-toi, Mémé, une autre chose importante : il ne faut pas que ce soit trop loin de mon école, ni du cimetière. Sinon Tonton et Pépé vont être tristes.

Lucette voulait finir sa vie là où elle avait tout partagé avec Marcel : ses joies comme ses peines les plus grandes. C'était dans l'ordre des choses.

Comme la vie lui demande de jouer les prolongations, elle est prête à ce nouveau départ, du moment qu'ils restent proches du cimetière.

— On va trouver près de ton école, à distance égale par rapport à ton grand-père. L'avantage, c'est que désormais mes copines vont pouvoir me rendre visite. Sans ascenseur, aucune ne s'y risquait : elles avaient toutes en tête ton malheureux grand-père et avaient peur d'y rester !

— Et on habitera à côté de nos commerçants ?

— Rien n'est bien loin à Granville, on continuera à nous y rendre de temps en temps, mais on ira parfois au Codec, s'il le faut.

— Mais Lucette, que vont devenir M. Lestrange et Mme Ricin si nous n'y allons plus tous les jours ?

— On leur prendra double ration à chaque fois !

— Je vais l'annoncer à Anita ! Je suis trop content. On pourra l'inviter chez nous, hein, c'est vrai, Mémé ?

Quand le petit garçon vient se présenter sur le pas de la porte, la fillette n'en croit pas ses yeux : Jean est enfin sorti de sa torpeur. Elle est ravie, lui saute au cou, jusqu'à ce qu'il lui annonce leur déménagement.

Il s'emballe pour un ascenseur. Son cœur à elle dégringole de quatre étages.

Même si Anita pourra lui rendre visite, Jean va énormément lui manquer. Que va-t-elle devenir les soirs d'orage ?

40

C'est Byzance !

Deux mois plus tard, première semaine de septembre 1969, le déménagement est une formalité : Lucette ne possède pas grand-chose, et Jean n'a eu qu'à prendre sa valise. C'est Lucien qui a gentiment donné un coup de main pour porter les armoires normandes et autres meubles qui datent de l'époque où tout était toujours très lourd. Jean, dont les bras et les cuisses sont devenus plus robustes, a efficacement aidé le facteur.

Quand le petit garçon pénètre au dernier étage de l'immeuble du quartier Saint-Nicolas, il écarquille les yeux :

— Comme c'est grand, Mémé ! Mais, tu savais ?

— Tu crois qu'on serait partis pour moins bien ? Ce n'est toujours qu'un deux-pièces, mais

Françoise va être jalouse : on a même un vide-ordures !

— Mémé, pourquoi on appelle ça un deux-pièces ? Il y en a bien plus : l'entrée, le débarras, le salon, la cuisine, la salle de bains, la chambre et les waters : ça fait sept ! annonce, tout fier, Jean en comptant sur ses doigts.

— C'est comme ça ! Certaines pièces ne comptent pas.

— Je ne suis pas d'accord : pour les personnes qui ont toujours connu ce confort, peut-être qu'effectivement elles ne comptent pas. Mais, pour nous, ça compte énormément ! Hein, c'est vrai, Mémé ?

— Oui, mon petit Jean. Dis-moi, es-tu entré dans la cuisine ? Va voir !

Jean y pénètre à pas de louveteau et ne peut en croire ses yeux : y trône un somptueux réfrigérateur !

— Il est magnifique, Mémé ! Mais comment tu as fait pour nous en acheter un ?

— Je me suis séparée de mon ancienne médaille avec la Vierge.

— Tu as vendu la *Verge* Marie ?

— Je m'en étais lassée, de toute façon. Allez, je te montre où tu vas dormir.

Toujours pas de chambre ni de lit réservés au petit garçon, mais tout un coin du salon, bien délimité, derrière le fauteuil, où son matelas, à même la moquette, est tiédi par le chauffage au sol. Un vrai luxe !

Quand Jean ouvre sa valise et sort chacune de ses affaires, Lucette lui indique une belle commode.

— Ce meuble est désormais le tien. J'ai donné toutes les vieilleries de tes oncles et tantes qui y prenaient la poussière.

Jean range consciencieusement ses deux pulls tricotés par sa grand-mère, ses deux pantalons et ses culottes. Puis, dans un tiroir à part, il y glisse sa bande dessinée, ses rares crayons et ses feuilles de dessin. Il tend ensuite sa valise à Lucette pour qu'elle la range dans le cagibi.

Sa nouvelle vie commence, il n'a plus besoin de son bagage, encore moins des courriers de sa mère qu'il contient.

Ce n'est pas tant tout ce confort qui réjouit Jean, mais bien l'impression que, pour la première fois depuis longtemps, le petit garçon se sent chez lui. Pas en transit, pas gênant comme un meuble en trop, juste à sa place. Lucette leur construit une nouvelle vie à deux, une page se tourne.

Ainsi, Jean peut avancer, même si c'est sans Marie à ses côtés !

41

Quelle arsouille !

Maintenant qu'ils sont installés à Saint-Nicolas dans l'immeuble « L'Érable », à environ deux kilomètres plus à l'est de leur ancien quartier, Jean et Lucette ont dû changer quelques-unes de leurs habitudes et trouver d'autres commerces. Un petit supermarché vient d'ouvrir pile en face de chez eux et, désormais, ils y font une grande partie de leurs achats. Même Mémé Lucette en convient : « C'est quand même bien commode ! »

Pour se rendre au cimetière, ils empruntent le chemin du couvent et la vieille route de Ville-dieu, puis longent un stade. À chaque fois qu'ils passent devant, Lucette ne peut s'empêcher de radoter et de raconter à Jean l'histoire qu'elle lui rabâche depuis tout petit : à Granville, il y a une entreprise qui fait la fierté de la ville, l'usine Dior. C'est une belle affaire familiale créée par Louis. Elle fabrique de la potasse pour engrais. Son petit-fils ou son petit-neveu, bref un certain Christian, n'a pas voulu la reprendre. D'après les ouï-dire de Lucette, il aurait fondé autre chose. Pas très malin ! La preuve : le stade de foot qu'ils longent, eh bien, il porte le nom de Louis. C'est même écrit en énorme au-dessus de la grille d'entrée : on ne peut pas se tromper !

Les mois s'enchaînent. Octobre, novembre, décembre, puis arrive l'année 1970. Jean vit au rythme des journées à l'école avec ses amis, des compliments de son maître sur ses progrès fulgurants, de ses rêvasseries sur le chemin du retour avec Anita – se séparant désormais à mi-chemin –, de ses week-ends avec ses cousins et Tante Françoise, de ses visites régulières à son oncle Gabriel et à son grand-père, de ses arra-chages de mauvaises herbes au potager, et de ses pauses déjeuner avec Lucien le facteur – lors desquelles le jeune garçon cuisine désormais avec Lucette, enfin surtout le week-end, quand il a plus de temps.

Il continue de recevoir quelques lettres de sa mère, mais ne les lit plus. Il a finalement jeté les premières, mais a conservé les suivantes, au cas où, un jour, il aurait envie de les découvrir.

Lucette est plutôt contente de son nouveau chez-soi, mais ne le montre pas. Elle n'est pas très loquace. Elle peut rester sans parler si longtemps qu'après sa voix « fout le camp », comme elle dit. Et puis, il y a un temps pour tout. Alors, elle l'économise et la réserve pour les visites de la famille ou alors de ses amies.

Pour rien au monde, Jean ne louperait ces réunions du troisième âge improvisées. Les petites mamies dévorent leur part de savarin en tricotant comme des folles furieuses, épinglant une voisine absente, beuglant sur la dernière trouvaille politique ou encore écorchant les anglicismes qui polluent leur quotidien. Elles se régalent pendant que Jean savoure : il les croque de son beau crayon de bois. Il a des dessins de Lucette dans toutes les postures, et il est vraiment content quand la plus vieille amie vient leur rendre visite, car, de toutes les grands-mères, celle-ci est la plus *rétro* : elle met encore ses habits traditionnels avec sa coiffe blanche, en dentelle normande.

Un jour, alors que la fin de l'année scolaire est proche, Lucette vante les talents de Jean à l'école. Ce dernier se trouve pris au dépourvu.

— Mon petit-fils va sauter une classe : en mathématiques, c'est le plus brillant. Vous avez déjà vu ses dessins, mais vous ne l'avez pas encore entendu chanter ! Il a un de ces grains de voix qui me donne la chair de poule à tous les coups ! annonce la vieille dame en montrant ses avant-bras charpentés. Jean, fais-nous un petit bout de *La Marseillaise* !

Si Jean a un bon coup de crayon, se souvenir des choses, notamment du nom des gens ou des paroles de chansons, ce n'est vraiment pas son fort. Même l'hymne national, il le connaît (seulement) à peu près.

Quand le jeune garçon entame son chant de bon cœur, les amies de Lucette se raidissent d'un coup, sur le sens des mots prononcés. Jean continue, des trémolos dans la voix :

« Allons enfants de la poitrine, le jour de gloire est arrimé. Contre nous de la pyramide, l'étang dort, son gland est levé !... »

Ce fut une des rares fois où Mémé Lucette aurait mieux fait de tourner, elle aussi, sept fois sa langue dans sa bouche. C'est ce jour-là que, de dépit, la grand-mère ordonne à Jean de reprendre ses visites chez le Père Denis. Dieu sait que, le caté, ça faisait longtemps que Jean avait fait une croix dessus !

42

Ferme ta boîte à camembert !

1971. Les mois passent, les visites à Tante Françoise demeurent. Jean veut toujours prolonger ses escapades chez ses cousins plus que le temps d'un week-end. Car il ne s'ennuie jamais avec eux.

Ils peuvent regarder pendant des heures le poste de télévision pour suivre ensemble les émissions de Guy Lux ou leur série préférée, *Flipper le dauphin*, ou alors ils occupent leurs après-midis à jouer aux jeux de société, dont son préféré reste le Mille Bornes.

Une vraie famille, c'est aussi quand on se sent à l'aise même sans rien se dire, sans rien faire de particulier. Ensemble, tout simplement. Jean passe des journées plongé dans les bandes dessinées de Gabin, qui, lui, dévore désormais les aventures interminables d'un Hobbit, ses autres cousins appliqués dans la construction de maquettes.

Si les garçons peuvent rester des heures ainsi, Jean est toujours le premier à se lasser et rejoint Tante Françoise, souvent occupée à la cuisine à préparer des plats, armée de son Ginette Mathiot. Jean est le seul à lui proposer son aide : il aime comprendre les secrets d'une recette, ceux qui ne sont pas écrits, mais qui font toute la différence, comme lui dit Mémé Lucette.

Alors que ses cousins ne jurent que par les moules-frites et les bonbecs – que lui ne peut plus sentir –, Jean préfère les plats en sauce du dimanche : une blanquette, une potée aux choux, un pot-au-feu, ou encore, sa recette préférée, la choucroute. Cela n'est pas très local, mais il s'en fiche bien ! Cette générosité, cette gourmandise avec ces bouts de viande un peu gras, cela le change des gratins de pommes de terre sans surprise de Mémé Lucette.

Près de la gazinière, il peut observer des heures la cocotte-minute qui siffle de plus en plus énergiquement. Il adore se laisser envelopper par cette moiteur envoûtante, dont les odeurs alléchantes le titillent : les arômes de thym, de laurier, même les pelures de patates ont des fragrances minérales qu'il adore.

Mais s'il aime tant rester dans la cuisine, c'est aussi et surtout pour passer des moments privilégiés avec Françoise. Quand ils sont tous les deux, elle devient encore plus maternelle et espiègle. Il entre alors dans son monde, où tout ne semble que divertissement, amusement, folie. Elle chante, elle rit. Elle retrouve son âme d'enfant. Elle n'a plus à endosser son rôle de mère, sérieuse, menant sa troupe de petits hommes, ni celui de fille bien élevée qu'elle ne quitte jamais auprès de Mémé Lucette. Avec Jean, elle s'autorise à être elle-même. Et lui, la regarde de ses grands yeux pleins d'admiration.

Lorsqu'elle est, par exemple, tenaillée par la faim, Tante Françoise lâche son tricot et s'attaque à la baguette fraîchement achetée. Sans culpabilité aucune, elle s'octroie ses morceaux préférés, les deux croûtons, qu'elle croque directement. Les jours où Alfred, son mari, déjeune avec eux lors d'une permission et constate l'état du pain, comme rongé par une petite souris, Tante Françoise joue l'ingénue, sans duper personne, et accuse la boulangère de l'avoir vendu ainsi. Ensemble, ils font un bon duo : Jean, lui, préfère le pain bien blanc tartiné de beurre demi-sel. D'ailleurs, au goûter, il troque désormais la confiture maison de Mémé Lucette contre ce délice.

Pain-beurre, y'a pas meilleur !

Souvent, en cuisinant, ils écoutent le poste de radio, pas France Inter comme Mémé Lucette, mais plutôt Europe Numéro 1, où passent toujours des chansons à la mode – comme dans feu l'émission « Salut les copains » —, sur lesquelles Françoise ne peut s'empêcher de se dandiner. Jean l'imite. Il paraît que bouger le popotin de gauche à droite, puis les jambes, cela s'appelle le twist.

Ils entendent de nouveaux chanteurs, comme Joe Dassin ou Johnny. Quand ils les découvrent en vrai, à la télé, Lucette rouspète pas mal : elle n'est pas très contente après leur déhanché. Elle dit qu'ils ont la danse de Saint-Guy. Jean n'a jamais su qui était ce Guy. En tout cas, pas quelqu'un de sa famille !

Tante Françoise a un faible pour Johnny. Jean aimerait avoir le timbre rauque de « l'idole des jeunes », alors il vole ses premières cigarettes à son cousin, mais se fait tellement réprimander par Anita qu'il cesse dès la première semaine. La jeune fille ne voit qu'un mauvais présage à quelque chose qui brûle autant la gorge et fait tousser comme un tuberculeux à la première taffe. Il la croit désormais sur parole, car elle n'avait pas tort : à Paris, la pollution était partout et les gens restaient cloîtrés dans leurs voitures.

Depuis quelque temps, Tante Françoise se permet de nouveaux petits plaisirs auparavant inabordables. Un des petits luxes que cette gourmande leur accorde, et auquel Jean n'avait jamais goûté, ce sont les fromages. Le camembert, le livarot, le pont-l'évêque ou encore le neufchâtel ont des saveurs si nouvelles que Jean délaisse peu à peu les desserts. Même Mémé Lucette, quand elle passe la nuit chez les cousins, l'adopte au petit déjeuner, trempé dans son bol de chocolat. Le camembert sera sa madeleine de Proust.

Lorsqu'il se couche le soir, dans le lit de Gustave, Jean ne pense plus jamais à sa mère. Le garçon est enfin heureux, entouré, aimé et à sa place. Il se rend compte qu'il n'a pas besoin de ses vrais parents, surtout si ceux-ci sont incapables de montrer leurs sentiments, quand il a la chance d'avoir autour de lui des proches si aimants et bienveillants. Mémé Lucette et Tante Françoise sont des anges. Ses deux bonnes fées.

Parfois, avant de s'endormir, une pensée sinistre le hante tout à coup. Et si tout cela prenait fin demain ? S'il arrivait malheur à Lucette ou Françoise ? Que deviendrait-il ?

43

C'est ben vrai, ça !

Printemps 1972. Le soleil brille, la famille passe les week-ends ensoleillés sur la plage, Jean a maintenant neuf ans et demi. Il est presque aussi grand que Françoise, pas encore au niveau de Mémé Lucette, mais elle ne le surplombe plus autant : seule une demi-tête les sépare. Son torse est fin, mais ses muscles se devinent à chaque mouvement, ses pommettes se sont bien remplies et sa mâchoire s'est dessinée. Quelques taches de rousseur se sont invitées avec le soleil et par-sèment le dessus de son nez et de ses joues. Ses nouvelles dents paraissent trop grandes sur ce corps de petit homme. Ses cheveux ont foncé et sont désormais d'un beau châtain, qui s'accorde parfaitement avec celui de ses cousins. Tels des frères. Ses genoux toujours décharnés ont gardé

206

quelques cicatrices de ses chutes d'enfant. S'il ne tombe plus aussi souvent, il continue ses rêveries, notamment suite à ses séances dans les salles obscures.

Il se rend très souvent au cinéma avec ses cousins. Ils aiment Louis de Funès et Jean-Paul Belmondo, Yves Montand, Lino Ventura et Romy Schneider. Ils ont adoré *La Folie des grandeurs*, *Le Grand Blond avec une chaussure noire*, alors que Tante Françoise a préféré pleurer devant *César et Rosalie*. Mémé Lucette continue de bouder les films récents : elle a dans l'idée que, depuis la fin du muet, le cinéma est devenu bavard et barbant.

Mémé Lucette envoie désormais Jean tout seul faire les commissions ou chercher leurs légumes au potager. Il commence toujours par rendre visite à la dame de la papeterie : elle a souvent une mission à lui confier. Le jeune garçon profite du vélo pour sa tournée et récupère, au retour, des crayons de papier ou des stylos Bic. Parfois, carrément des feuilles de papier Canson.

Le week-end, Tante Françoise emmène toute la troupe en 2 CV, avec Mémé Lucette et les cousins, faire des excursions improvisées. Elle ignore où ils se rendent, et ils font des tours et des tours de ronds-points jusqu'à se laisser séduire par une destination. Ils ne vont jamais bien loin, mais découvrent des trésors locaux, comme le Mont-Saint-Michel et les galettes de la Mère Poulard, les cimetières militaires américains et les plages du débarquement. Parfois, ils s'arrêtent juste pique-niquer dans les prés, sous les pommiers, en regardant distraitement les vaches brouter.

En semaine, après l'école et le jeudi, puisqu'ils n'ont pas classe, Jean retrouve ses amis de cœur. Il est resté fidèle à ceux de la première heure, même s'il a sauté une classe. Thierry, qu'ils appellent désormais « la Fronde », leur apprend les échecs. Achille, qui perfectionne son art d'étaler les papillons, embauche son copain Jean pour dessiner des planches botaniques qu'il envoie fièrement au Muséum d'histoire naturelle de Paris, pour partager sa collection. Les jumeaux sont toujours aussi désespérants de nullité et d'imbécillité. Il semblerait qu'ils se soient partagé les deux hémisphères d'un même cerveau : ils sont deux, mais font tout à moitié. L'un termine les phrases de l'autre, l'autre copie les erreurs du premier. Du coup, ils redoublent, de classe et d'efforts. Ils ont tellement essayé qu'ils n'y arrivent plus, et les maîtres désespèrent à chaque rentrée de les retrouver parmi leurs élèves.

Les vacances, les fêtes religieuses ou les rassemblements familiaux se déroulent immanquablement sans Marie, même quand Alfred ou les oncles de Jean reviennent exprès de très loin. Paris semble impénétrable, sa mère insondable. Jean ne cherche plus à comprendre. Qu'a-t-il fait ? Certains abandonnent leur chien sur une aire d'autoroute sous prétexte qu'il fait trop de bruit ou trop de bêtises (et encore). Mais lui ? N'a-t-il jamais été sage et obéissant ?

Mémé Lucette lui parle de temps en temps de sa mère, en disant qu'elle fait de son mieux, qu'elle finira par revenir, et que Jean doit être préparé à cette idée. Le petit garçon n'en a aucune envie et, de toute façon, il n'y croit pas une seconde : elle n'est pas rentrée une seule fois en trois ans, pourquoi le ferait-elle désormais, après tout ce temps ? À moins que Mémé Lucette ne soit plus là ? Jean l'observe souvent du coin de l'œil : elle tremble plus qu'avant, ne voit plus grand-chose, se fatigue vite au cimetière et doit s'asseoir sur son fauteuil pliant qu'il lui apporte.

Quand il se surprend à imaginer le pire, en devinant le nom de Lucette sur la tombe à côté de celle de Pépé Marcel, il s'apaise en se raccrochant à l'idée qu'il lui resterait Tante Françoise, toujours à ses côtés, toujours là pour lui, contrairement à sa mère. Il ne veut pas se montrer ingrat envers sa grand-mère, mais il ne comprend tout de même pas pourquoi Tante Françoise ne devient pas sa nouvelle Maman. Il l'adore, envie ses cousins, et cela déchargerait bien Mémé Lucette, qui peine à rassembler deux sous. Même son oncle Alfred l'apprécie et le traite comme son fils, ramenant, à chacun de ses retours, des cadeaux pour tous. À bien y réfléchir, il sait que le Père Denis lui répondrait que « changer de mère, c'est impossible. C'est une question de principe ».

Lucette a complété le luxe de son appartement avec une machine à laver le linge. Elle raffole de sa Vedette, qui trépigne dès qu'elle est en mode essorage. Chaque fois, Jean aide Mémé Lucette à étendre les grands draps blancs sur le fils en nylon, au-dessus de leur baignoire. Les bras en l'air, le nez dans leur odeur fraîche, il en a immanquablement la tête qui tourne de plaisir. Mais ce qu'il préfère avec la lessive, ce sont les cadeaux Bonux.

À chaque baril de poudre, elle autorise son petit-fils à fouiner à la recherche du petit train en plastique, qu'il a déniché une bonne dizaine de fois, avant de découvrir d'autres gadgets. Tous trouvent leur place dans le tiroir de Jean, qui se remplit peu à peu, avec les autres présents que les Bergères de France envoient à Lucette en contrepartie de sa fidélité. Elles seront toujours là pour elle, et elle également, toute sa vie. Car, quand les Bergères de France perdent une fidèle cliente, c'est pour toujours.

44

Refiler la patate chaude

L'été indien de 1972 est chaud, les rires plus graves, quelquefois la voix déraille, perturbée par la mue de Gabin. Jean remarque l'atmosphère alourdie, depuis le retour permanent d'Alfred. Tante Françoise ne rit plus autant, elle semble stressée. Les cousins, eux, ne perçoivent rien ou, en tout cas, s'en fichent pas mal. Seul Jean sent que le nuage qui plane sur le bonheur de sa tante va vite assombrir son ciel.

Il préfère savoir à quoi s'en tenir. Alors, un jour, pendant que lui et sa tante s'affairent en cuisine à préparer les sandwiches pour le pique-nique, il ose.

— Pourquoi tu es triste, Françoise ?

— Je ne le suis pas du tout, qu'est-ce qui te fait dire cela ?

— Je vois bien que quelque chose te tracasse. Tu ne danses plus, tu ne chantes plus, en voiture, nous ne faisons plus plusieurs tours de ronds-points. Et puis, tu restes souvent toute seule, avec ton tricot.

— Ce n'est rien, une préoccupation d'adulte.

— Ça a un rapport avec ma mère ?

— Non, aucun, rassure-toi.

— Mais alors, pourquoi j'ai l'impression que tu me fuis : on ne joue plus ensemble, on ne cuisine plus tous les deux, et tu ne me prends même plus dans tes bras… J'ai fait quelque chose de mal ?

— Mais non, mon ange, viens là. C'est juste que…

— Que quoi ?

Jean sent que la prochaine phrase ne va pas lui plaire. Il a vraiment mis le doigt sur quelque chose.

— Alfred a été muté. On déménage après les vacances de Noël. On va vivre à Baden-Baden.

Jean ne parvient pas à rester muet.

— Nooon ! Vous ne pouvez pas partir ! Qu'est-ce que je vais devenir, moi ? Et il faut penser à Mémé Lucette aussi. Elle ne peut pas rester toute seule. Elle est trop vieille.

— Justement, elle sera avec toi, et puis elle arrive encore très bien à marcher, faire ses courses, aller à l'église et au cimetière. Je crois que tu noircis un peu le tableau, Jean.

— Et puis d'abord c'est où, Baden-Baden ?

— En Allemagne.

— L'Allemagne ? Mais vous êtes tombés sur la tête ? C'est bien le dernier pays où quelqu'un a envie d'aller. C'est bourré d'Allemands !

— Nous allons où on nous le demande : ils ont besoin d'Alfred et m'ont même trouvé une place d'infirmière au civil. Je ne peux pas me plaindre. Les garçons sont déjà inscrits à l'école là-bas dès janvier. Mais ne leur dis rien pour le moment, Alfred s'en chargera à la fin des vacances de Noël.

Jean la serre dans ses bras : son odeur de savon à la lavande mêlée au pain perdu beurré l'entête. Ce parfum-là restera comme celui de son bonheur avorté. Celui de l'enfance qui s'achève, avec ses illusions.

45

Ça ne vaut pas un fifrelin !

1973. Une nouvelle année pour une vie différente à réinventer désormais sans ses cousins à ses côtés. Et un certain équilibre à trouver auprès de celle qui commence à perdre le sien. Mais pas sa poigne.

Mémé Lucette a été très surprise par la rapidité du déménagement de Françoise, mais l'a encouragée à aller vivre avec sa famille. « Ce n'était pas une vie d'avoir un mari constamment absent », lui a-t-elle fait remarquer. Elle qui a eu la chance de côtoyer Marcel toute sa sainte existence ne sait pas comment elle aurait fait sans lui à ses côtés. Ils étaient unis dans l'éducation de leurs enfants, se répartissaient les tâches, se soutenaient fidèlement à chaque coup de mou. Il faut dire que Lucette avait établi les règles avec Marcel dès le début, sans attendre que cela vienne spontanément de son compagnon de vie. Une famille, cela se construit et se mène à deux. Pas l'un contre l'autre.

Jean ne dit rien, mais il ne s'y fait pas. En sortant de l'école, il ne peut s'empêcher de faire un détour et de passer devant l'immeuble de ses cousins, où, maintenant, il ne trouve que des volets clos.

Les semaines et les week-ends se ressemblent. Toujours avec Mémé Lucette. À partager leurs efforts entre la cuisine, les courses, le jardinage, la messe. Il n'y a pas tellement de rigolades, même les émissions policières de la radio finissent par endormir sa grand-mère.

Mémé Lucette continue de se priver, à moins que, avec l'âge, son appétit d'oiseau ne soit devenu réel. Jean ne peut pas se plaindre : il mange à sa faim, il est couvert chaudement, il est tranquille. Ça, pour être tranquille…

Jean continue de bien travailler à l'école, s'encanaille régulièrement avec Anita à escalader des falaises toujours plus hautes, même par temps de pluie, à s'immiscer dans les salles de cinéma par la porte de sortie pour aller voir des films interdits aux mineurs. Cela fait passer le temps. Et puis, ensemble, ils n'ont peur de rien. Même pas de l'avenir.

Les deux mois estivaux de 1973 approchent. Alors que la grand-mère cherche comment elle va pouvoir occuper son petit-fils, elle reçoit un coup de fil inattendu.

De l'étranger.

46

Tirer les vers du nez

Jean saute au plafond. Deux mois de vacances chez ses cousins ! Avec Mémé Lucette, cela va être le plus long voyage de leur existence, aussi bien en distance qu'en durée. Mille kilomètres, deux jours et demi de train, quatre changements. Si les voyages forment la jeunesse, Jean n'est pas certain que Mémé Lucette, après cette partie de Mille Bornes à taille réelle, redevienne la petite jeunette qu'elle était.

Lorsque, tout enjoué, il annonce son départ en Allemagne à ses camarades d'école, Jean n'a pas anticipé leur réaction, ni mesuré l'importance de la nouvelle qu'il vient de leur lâcher. Tous se raidissent et lui adressent leurs regards les plus noirs. S'il n'y avait pas ses amis à ses côtés, dont le gaillard Thierry Legrand, Jean commencerait à s'inquiéter. Il n'a pourtant rien dit de grave.

Tandis qu'il se retourne vers « la Fronde », Jean se rend compte que même son copain a l'air très fâché contre lui.

— Tu ne vas quand même pas aller en Allemagne ? Tu n'es pas sérieux ? interroge Thierry.

— Mais si, pourquoi ?

— Tu ne te rends pas compte ? De tout ce qu'ils ont fait !

— Tu parles de cette histoire de guerre ? demande Jean naïvement.

Les garçons restent tous silencieux encore un moment, puis Achille, qui d'habitude ne participe pas aux débats, se lance :

— Tu n'as pas le choix, il faut que tu en tues un. Pour nous venger.

— Mais vous êtes fous ! s'insurge le petit garçon.

— C'est toi qui n'as pas l'air de comprendre, Jean ! continue le petit entomologiste. Tu arrives tout fier en nous disant que tu vas à Baden-Baden. En vacances, en plus. C'est bizarre, quand même, de choisir d'aller là-bas, non ? C'est un pays où on n'est pas tellement aimés, tu le sais au moins ?

Thierry réfléchit, puis reprend.

— Il faut au moins que tu casses la gueule à un Boche, alors !

— Bah non. Ce n'est pas prévu. Je n'y vais pas pour ça. Et puis, je risque d'être en infériorité numérique…

— Toi et ton légendaire courage, se moque Achille. Même pas cap d'attraper un papillon, alors ne lui demandez pas de relever ses manches, les copains ! Quelle poule mouillée !

— Ouais, une vraie mauviette ! continuent les autres, en exhibant leurs poings fermés et gonflant leurs biceps, prêts au combat.

Jean verra bien sur place si l'occasion de jouer le héros se présente. Ce ne sera pas lui qui cherchera des noises en premier : il n'est pas fou. Même si se comporter comme son père le rendrait très fier.

En effet, en 1940, le père de Jean s'était embarqué, ni une ni deux, avec deux cents autres Granvillais sur des bateaux de pêche en direction de l'île anglo-normande de Jersey, avant de regagner le territoire britannique en naviguant de nuit.

Quelques mois plus tard, apprenant la création d'une formation de commandos de marins dirigés par les Anglais, il avait été un des premiers à s'engager, puis s'était rendu vers le camp d'entraînement d'Achnacarry en Écosse. Il en était ressorti avec le fameux béret vert (que Jean a toujours dans sa valise à autocollants sans savoir ce que cela représente), alors que beaucoup avaient échoué.

Le père de Jean avait été impatient d'en découdre avec les Boches, mais il avait dû attendre longtemps. Très longtemps. Alors, il avait finalement tué le temps en épousant une jeune lady. Les Français étaient logés chez l'habitant, ça rapproche ! Peu de temps après, le demi-frère de Jean, John – toujours pas très original, même de ce côté-là de la Manche – faisait son arrivée.

Après, en 1943, lassé de ne pas être appelé, son père avait rejoint une unité de parachutistes français qui venait de se créer. Lui qui avait toujours été un homme de mer, ça avait dû le changer.

À la fin de la guerre, son père avait finalement repris la mer, mais pas son Anglaise. Sur son bateau, il avait continué à chercher la morue et, un soir, alors qu'il était revenu à Granville, la ville de son enfance, il avait rencontré la mère de Jean. Tout avait commencé dans un bistrot.

Lorsque Jean rentre de l'école, il est abasourdi. S'il lui restait le moindre doute, il est maintenant convaincu : à lui, l'Allemagne ! Tout en préparant sa valise, il réfléchit à ce que ses amis lui ont dit. Il ne vengera peut-être pas tous les Français, pourtant, c'est vrai qu'il a des comptes familiaux à régler une fois pour toutes avec les Allemands. Ils nous ont pris l'Alsace et la Lorraine, mais ils n'auront pas éternellement la Françoise.

47

T'as le bonjour d'Alfred !

Juillet 1973. Traverser des paysages plus époustouflants les uns que les autres, puis finir par l'odeur boisée de la Forêt-Noire, aurait pu être une promenade de santé pour Jean et Lucette, mais ceux-ci sont heureux d'arriver, enfin, à destination. Après trois jours de véritable calvaire, sous la chaleur, avec le minimum d'hygiène, à se nourrir uniquement de sandwiches desséchés, c'est épuisés qu'ils retrouvent les cousins réunis sur le quai de la gare de Baden-Baden. Même Alfred, en uniforme, a pris une permission. Il n'aurait manqué leur visite pour rien au monde.

Jean est content de constater que, à première vue, ses cousins ne se sont pas trop « germanisés ». Il ne sait pas trop à quoi il s'était attendu, mais il les retrouve égaux à eux-mêmes. Un poil plus grands, peut-être.

Ces quelques mois ont embelli Tante Françoise, accrochant aux coins de ses yeux un sourire permanent. Elle a également coupé ses cheveux. Ils étaient longs, constamment relevés en chignon banane. Elle les a libérés dans un carré souple. Même elle, semble plus décontractée.

Jean n'a pas le temps d'embrasser tout le monde que ses yeux butent sur une surprise de taille : la tribu s'est agrandie. Dans les bras de Françoise, un être minuscule gesticule dans tous les sens.

Comme ses cousins n'ont pas franchement été emballés en découvrant leur changement de vie de l'autre côté du Rhin – ils eurent à peu près le même enthousiasme que celui de Thierry et Achille –, Alfred, pour faire passer la pilule, a trouvé le bon compromis : une maison dans la campagne de la station thermale avec une animation de plus, un bébé Jack Russel.

Pastis – parce qu'il fallait bien un nom, et qu'ils n'allaient pas faire comme tout le monde à appeler leur chien Whisky – change effectivement le quotidien de toute la famille. Et laisse sa trace partout, dans leur nouvelle demeure allemande.

À coups de crocs, il dévore tout ce qui lui tombe sous le nez : les chaussures, les pieds de table, de chaise, de canapé. Le toutou n'est pas regardant. Il apprend également à faire ses besoins partout, sauf dans la litière remplie de journaux, car, après tout, Pastis a raison, ce n'est pas un chat. Et de l'amour, il va en donner : l'animal ne supporte pas d'être laissé seul, ne serait-ce qu'une minute. Le matin, une fois les habitants partis, il passe sa journée à bondir pour regarder à travers la fenêtre et guetter leur retour. Bien évidemment, le tout accompagné de jappements toujours plus sonores en fonction des chats, pigeons et autres bestioles qu'il distingue dans le jardin. Depuis leur arrivée dans la station thermale, il faut dire que les cousins se révèlent être les amis des bêtes !

Dans la maison, Jean n'a besoin de personne pour se sentir comme chez lui. Avec tous ces animaux, il est le roi du monde : Pastis le suit à la trace. Ensemble, ils pourchassent les poules pour vérifier si elles sont, ou non, capables de voler. Quand les oies s'en mêlent, le jeune garçon ne fait pas le fier. Surtout quand il se retrouve privé d'œufs au petit déjeuner pendant une semaine. Une poule, c'est susceptible : elle a besoin de sa sérénité pour pondre chaque jour.

Jean passe ses journées avec des enfants de militaire, un peu comme dans une colonie de vacances. Ils vont dans un centre aéré et, de temps en temps, ils sont emmenés un peu plus loin, en Forêt-Noire, ou au bord du lac de Titisee. Comme il fait chaud, ils ont le droit de déguster des glaces à l'italienne, de faire de la bicyclette ou encore de prendre le bateau à voile pour aller faire trempette. La belle vie !

Le premier mois file à la vitesse de la 2 CV de Françoise, enfin, bien plus vite, en fait. Ils partent en balade, s'arrêtent au lac, plongent depuis des hauteurs interdites, se baignent où l'autorisation n'a pas été accordée, mais tout le monde s'en moque. Jean manque de se fracasser le crâne en plongeant, Gabin de choper le tétanos en s'acoquinant à de la ferraille rouillée pour observer les plages nudistes, mais tout va bien dans le meilleur des mondes.

Les cousins ont loupé les dernières bonnes musiques françaises, ignorent que Jacques Dutronc et Françoise Hardy ont donné naissance à un enfant, mais n'ont rien perdu de leur goût pour les films aux héros bagarreurs. Les westerns-spaghettis, en premier lieu. Tante

Françoise ne jure que par Sissi et, d'un coup, Jean se trouve une nouvelle passion pour les robes à crinoline. De son côté, Pastis s'est découvert la même lubie que Mémé Lucette : un appétit fanatique pour les pelotes de toutes les couleurs. Résultat, Tante Françoise et la grand-mère peinent à tricoter sans se faire interrompre par le chiot joueur. Celui-ci adore saisir un fil et détricote tout ce qui vient à peine d'être monté. Si cela fait rire les cousins, les deux femmes se montrent désormais prudentes : à ce rythme-là, leurs pulls seront prêts pour l'été prochain.

Jean repousse de bon cœur le moment de la vengeance imposée par ses copains français. De toute façon, il paraît qu'elle se mange froide, et lui serait plutôt pour un bon plat chaud. D'ailleurs, la choucroute locale vaut, à elle seule, le déplacement !

Du coup, il préfère rester en cuisine auprès de Françoise. Elle a appris de nombreuses recettes, qu'elle veut lui enseigner. Le jeune garçon en profite pour sonder le terrain.

— Ça ne vous tenterait pas de revenir vivre en France ?

— Nous sommes bien en Allemagne, tu sais.

— Vraiment ? coupe Jean.

— Tu as encore des préjugés, mais, chaque jour que tu passes ici, tu as l'air plus heureux !

Jean reste silencieux. Il lui dirait bien qu'il serait comblé n'importe où sur la planète, tant qu'il reste avec eux.

48

Au hasard Balthazar !

Cela fait de vraies vacances à Lucette de ne plus être constamment flanquée d'un gringalet débordant d'énergie : mine de rien, Jean l'use à petit feu. Tante Françoise est ravie de retrouver sa mère, même si elle ne peut s'empêcher de s'inquiéter, car la vieille dame est désormais bien seule en Normandie. Ce qui la préoccupe le plus, c'est la santé déclinante de sa mère : elle ne marche plus correctement, ne voit plus net et tremble beaucoup. Au moins, elle a encore toute sa tête. Cependant, elle s'endort à tout bout de champ, même à l'église, ce qui ne lui était jamais arrivé de sa sainte vie.

Il faut dire que la messe en allemand, c'est une sacrée expérience. Jean y retrouve deux ou trois paroles qu'il est fier de comprendre – du genre « Amen », enfin, tout ce qui est en latin en fait – et s'accroche de son mieux pour ne pas s'assoupir lors de la longue cérémonie du jour de l'Assomption. Les cousins, qui n'appréciaient déjà pas le catéchisme en français, ronflent allègrement, aux côtés de leur grand-mère.

Une fois Marie et sa « montée au ciel » achevée, qui, d'ailleurs, n'est plus une surprise pour personne – puisqu'elle refait le coup chaque année –, toute la famille sort de l'église et grimpe dans la 2 CV : les enfants s'installent dans le coffre, Mémé Lucette à l'arrière, au centre avec le chien sur les genoux, et en voiture, Simone ! Sur leur couverture de pique-nique, les quatre cousins se lancent dans une partie de belote, endiablée par une triche congénitale, sous les yeux offusqués de Pastis, qui récupère fièrement chaque carte cachée dessous.

Après deux mois idylliques en Allemagne auprès de ses cousins, Jean est comme un coq en pâte. Il baragouine même quelques mots d'allemand. Il donnerait cher pour que l'été ne finisse jamais. Lorsqu'il sous-entend auprès de Françoise qu'il pourrait peut-être rester plus longtemps, voire pour toujours, sa tante se montre compatissante mais lucide. C'est impossible, Granville l'attend et sa rentrée en sixième aussi. Sa vie est là-bas, comme la leur est ici, à présent.

Quand l'heure est au linge que l'on replie, aux câlins qui s'éternisent le soir au coin du feu, aux billets de train qui se rangent pour apprivoiser le chemin du retour, Jean enchaîne les soupirs, appuie son regard sur chacun, comme pour immortaliser un moment où il a été heureux, vraiment heureux.

La veille du départ, le jeune garçon ne parvient pas à s'endormir : il redoute la séparation du lendemain. Il sait que son bonheur et son insouciance dépendent d'une poignée de cousins. Alors que Lucette pénètre dans sa chambre et le trouve inquiet, elle s'assoit à ses côtés pour lui caresser les cheveux.

— Il ne faut pas être triste, Jean. Tu vas retrouver ta vie à Granville. Anita, Thierry, Achille, aussi.

— Je sais, mais je ne peux pas m'empêcher d'avoir mal là, dit-il en montrant sa poitrine. Mémé ?

— Qu'est-ce qu'il y a, mon petit ?

— Je te remercie de nous avoir organisé ce beau séjour. C'était le plus beau de ma vie. Toi, tu n'es pas malheureuse qu'ils soient partis de Granville ?

— C'est comme ça, Jean. Ceux que tu aimes le plus vont et viennent, repartent et reviennent. En prenant un bout de ton cœur à chaque fois.

Mais tu ne vas pas te priver d'aimer de peur de devoir souffrir un peu ? Tout ce bonheur ne vaut-il pas un petit pincement au cœur ?

— Mais ça me fait si mal de partir. D'être séparé, encore ! Si tu veux mon avis, je ne suis même pas sûr qu'ils soient plus heureux ici : on serait tellement mieux tous ensemble à Granville.

— On ne choisit pas les surprises de la vie, mon petit. On fait avec, et souvent, c'est pour le meilleur.

— C'est ça la foi, Mémé ?

— Non, ça, c'est la vie.

49

Qui ne tente rien n'a rien !

Au coin du feu, l'ambiance de la dernière soirée est morose. Seul Pastis est excité comme une puce, cherchant partout de nouveaux fils à se mettre sous la dent.

Devant la mine déconfite de Jean au moment de se coucher, et la tristesse dans les yeux de Lucette, impuissante, après avoir consolé le petit garçon, Françoise ne peut rester sans agir. Elle tente le tout pour le tout et saisit le combiné. Elle doit téléphoner à Marie. Pour lui dire la vérité, lui faire prendre la mesure des conséquences de son abandon.

Quand, enfin, à l'autre bout du fil, elle entend une voix familière dans le brouhaha d'un restaurant, Françoise va à l'essentiel :

— Marie, Maman est trop fatiguée pour s'occuper seule de Jean. Ça l'affaiblit. Tu n'aimerais pas la voir comme ça. Et lui non plus, il est si triste. Cela me fait mal à moi aussi. Marie, tu m'entends ?

La jeune mère reste silencieuse. La tante reprend :

— Voilà, il fallait que je te le dise. Tu ne peux plus faire semblant de ne pas être au courant.

Marie ne répond rien. Françoise soupire. Elle a fait de son mieux. Elle s'apprête à raccrocher lorsque des mots qu'elle a sur le bout de la langue depuis des années s'échappent :

— Mais, si tu veux, je le prends, moi ! Je l'adore, Jean, et je crois qu'il serait heureux avec nous. Cela déchargerait Maman, si vraiment c'est trop difficile pour toi. Je ne veux rien t'imposer, Marie. Dis-moi simplement : tu veux que je le garde ?

La respiration de Marie semble saccadée, comme entrecoupée de sanglots. Elle laisse échapper un son voilé, quand soudain la ligne est coupée. Pastis, le fil entre les crocs, remue la queue, très fier de lui.

Avant la mort prématurée du téléphone, Françoise jurerait avoir entendu un « *Non, merci* ».

50

Beurré comme un P'tit Lu

Septembre 1973. Le voyage du retour a été éprouvant. Après deux mois au grand air, libres comme le vent, l'étroitesse du deux-pièces de Granville pèse sur le moral de la grand-mère, autant que sur celui de son petit-fils. Jean fuit l'appartement de Lucette et trouve refuge alternativement à la plage, au potager ou au cimetière. Le plus souvent auprès de celle qui lui a beaucoup manqué. Anita.

Au fil de leur discussion, leurs pas les guident instinctivement à leur repère : l'enclos des animaux, sous le pommier. La jeune fille a chapardé une bouteille de cidre à Mme Bellanger pour fêter le retour de son ami.

Dans l'herbe humide, Jean raconte ses vacances à Anita, qui de son côté n'a pas apprécié sa colonie de vacances. Dormir chaque nuit dans la tente, tambourinée par des pluies diluviennes, n'est pas une expérience qui la laisse nostalgique. Au contraire ! Jean n'étant pas là pour calmer ses peurs, elle a dû rester silencieuse pour ne pas avoir l'air d'un « bébé » devant ses camarades.

Tous les deux sont excités par la rentrée qui approche. Ça y est : la mixité est obligatoire et, si la chance est de leur côté, ils pourraient se retrouver dans la même classe de sixième.

Après avoir bu la bouteille à même le goulot, Jean sent sa tête plus cotonneuse, mais se laisse séduire, encore et encore, par ce goût sucré. Anita a sûrement raison : il n'y a pas d'alcool dedans, car cela n'a rien à voir avec son expérience malheureuse en Allemagne. Dans le schnaps que ses cousins lui ont fait découvrir, il n'y avait aucun doute possible pour lui ou son estomac : Jean avait vomi toute l'eau-de-vie sur les godillots de Gustave.

Lorsqu'il arrive chez Mémé Lucette après un après-midi merveilleux avec Anita, il a les joues rouges et l'esprit brumeux. Il se sent gai comme un pinson. Quand il découvre Lucien et une carte postale de Paris posée sur la table de la cuisine, son sang ne fait qu'un tour.

— Non ! Pas encore une lettre d'elle.

Il la saisit pour la jeter, cependant Mémé Lucette l'en empêche.

— Celle-là, je vais devoir insister, mais il faut que tu la lises et y répondes tout de suite.

En parcourant les quelques lignes, Jean découvre les joies de la gueule de bois. Il a dessoûlé aussi vite qu'il a attendu ce courrier des siècles.

51

L'avoir dans le baba

Jean se fait la remarque que, pour les messages importants, sa mère ne se soucie guère de mettre les formes : elle choisit toujours une carte, sans enveloppe, dévoilant à n'importe qui son contenu. Preuve en est, Lucien et Mémé Lucette, les deux curieux échaudés, font une tête de deux pieds de long. Les jambes de Jean l'abandonnent à son sort. Il est loin le bon vieux temps des longues lettres enflammées que Jean recevait. La carte de Paris, avec son bel Arc de Triomphe, a un goût de cuisante défaite.

Maman,
Je suis installée désormais. Avec Gaston, mon compagnon. Comme promis, je reprends Jean. Je reviens le chercher dès que possible. Il ira à l'école

à Paris. Êtes-vous déjà revenus à Granville ? À bientôt.

Marie

Le petit garçon balaie de la main la belle maquette de bateau qu'il venait d'achever. Elle se brise au sol, en mille morceaux. La fureur dans les yeux, il cherche une autre proie à sacrifier sur l'autel de sa détresse.

Mémé Lucette l'encercle de ses bras robustes et le berce tout doucement. Jean veut continuer à tout détruire sur son passage, à hurler sa rage ! Il laisse couler des larmes d'amertume.

— Pourquoi elle me fait ça ? Elle cherche à me faire du mal ?

— Ta mère tient sa promesse, mon petit.

— Mais je ne veux plus jamais la voir, encore moins habiter avec elle. C'est fini. C'est trop tard.

— Il n'est jamais trop tard pour réparer ses erreurs. Elle t'aime et tu le sais. Elle n'était pas en mesure de te prendre avant, mais, maintenant qu'elle a trouvé un appartement, elle t'offre une seconde chance. Une nouvelle vie à trois, à Paris.

— Mais je ne veux pas de ce Gaston. Je ne veux jamais le rencontrer, et encore moins mettre les pieds à Paris. Un vrai père, j'en ai un, qu'on m'a d'ailleurs empêché de revoir.

— Mais tu n'as pas le choix, Jean. Elle ne te laisse pas le choix, et moi non plus. Tu sais que je tiens à toi, de tout mon cœur, mais ta place est auprès de ta mère, pas auprès d'une vieille mémé qui a la tremblote.

— Justement, je ne peux pas te laisser seule, et je ne le veux pas ! Qui va t'aider à écrire ton courrier, à le lire même ! Qui va aller faire tes achats, qui va arracher les mauvaises herbes sur les tombes ?

— Je serai là, moi, répond Lucien. Je te promets de prendre soin de ta grand-mère, Jean.

— Ce n'est pas la peine d'insister, ma décision est prise. Je n'irai pas, reprend le jeune garçon en croisant les bras. Si vous m'y forcez, je fuguerai. Et si tu me fermes ta porte au nez, j'irai chez mon père.

Lucette et Lucien échangent un regard grave. Jean, qui a la tête embrumée, peine à comprendre.

— Qu'y a-t-il encore ? Qu'est-il arrivé à mon père ?

52

Rond comme une queue de pelle

Jean a la tête qui tourne. Le cidre se dissipe lentement et l'accumulation de mauvaises nouvelles lui flanque une migraine carabinée.

— Ton père a refait sa vie. Il a une nouvelle femme et un enfant désormais. Je suis désolée.

— Mais peut-être qu'il voudra quand même me reprendre ? tente-t-il de sa petite voix d'enfant meurtri.

— Et pourquoi une femme qui ne te connaît pas accepterait de t'accueillir, toi et tes 11 ans, au sein de sa petite famille tranquille, alors que ton père ne lui a sûrement jamais dit que tu existais ?

— Ce n'est pas vrai ! Je suis sûr qu'il lui a parlé de moi, au moins l'année dernière, quand on s'est revus…

Mémé Lucette écarquille les yeux, telle une chouette hypnotisée, en entendant cette nouvelle qu'elle désapprouve totalement.

— On te l'avait pourtant interdit !

— C'était par hasard. Je guettais les feuilles à dérober devant le restaurant et je l'ai vu entrer dans le bistrot d'à côté. Il m'a vu, a hésité – je crois qu'il ne m'avait pas tout de suite reconnu –, et m'a fait signe de le rejoindre.

— Tu es entré dans un bar ? s'étrangle Lucette.

— Cela a été la seule fois, Mémé. Il m'a payé un Coca-Cola, il était avec un ami à lui. Il ne m'a pas vraiment parlé, il discutait avec lui et, dès que mon verre était vide, il m'en payait un autre. Quand je suis revenu des toilettes, il partait. Ils allaient dans un autre café retrouver des copains. Il m'a proposé de le suivre, mais je n'ai pas eu envie.

— C'est donc ça, la vie que tu veux avoir désormais, Jean ? À faire tes devoirs dans les bars ? Et tout ça pour quoi ? Il va te mettre sur un bateau de pêche dès que tu auras 13 ans et que tu ne seras plus obligé d'aller à l'école. Tu veux gâcher ton talent ? Tu es intelligent, Jean.

— Et pourquoi je ne serais pas marin ? C'est toujours mieux que d'être la pièce rapportée de ma mère à Paris. Qu'est-ce qui te fait croire qu'elle a de meilleurs projets pour moi ? Si elle tenait vraiment à moi, cela fait belle lurette qu'elle serait venue nous voir, non ? Elle aurait pu nous appeler, au moins ?

Mémé Lucette met un terme à cette longue discussion qui ne changera pas l'ordre des choses. Elle revient de sa chambre avec son bloc de papier et son stylo-plume, qu'elle tend à Jean.

Le jeune homme secoue la tête, en larmes, mais elle insiste :

— Tu n'as pas le choix. Si tu ne sais pas quoi lui répondre, je peux t'aider à choisir les mots.

Jean lance un regard implorant à Lucien, qui l'encourage silencieusement, en s'asseyant sur la chaise près de lui.

Mémé Lucette dicte et, tel un scribe, Jean enchaîne les lettres, en secouant la tête à chaque mot qui l'ahurit. Sa mère verra bien que ce ne sont pas ses mots à lui, mais que Mémé Lucette les lui a soufflés. Elle aura alors peut-être pitié ?

Jean rédige à contrecœur. Il ne parvient pas à se concentrer et fait tout de travers : il laisse quelques erreurs grossières, oublie la ponctuation, fait de disgracieuses bavures. Il ne parvient pas à contrôler cette maudite main droite qui ne l'écoutera donc jamais.

Chers parents,
Je suis content de partir avec vous
Quand venez-vous me cherchez ?
Je vais a la plage presque tous les jours
J'ai attrappé des coups de soleil
Je n'écris pas souvent mais je pense a vous
Je vous envoie de gros baisers

                                              Jean

En relisant « *Chers parents* », « *je suis content* »,
« *je pense a vous* », Jean hallucine. Comment
a-t-il bien pu accepter d'écrire ces mots auxquels
il ne croit pas ? Gaston n'est pas – et ne sera
jamais – un père pour lui. Il s'en fait la promesse.

Quand ces six lignes sont rédigées, une larme
vient mouiller le papier. Tant pis ! Lucien file
avec le pli prioritaire qui part avec le prochain
train pour Montparnasse. La rentrée est dans
moins de dix jours. Jean, lui, est au trente-
sixième dessous.

53

Tu pousses le bouchon un peu trop loin

Jean est dévasté, Anita anéantie. La veille encore, ils fêtaient leurs retrouvailles et leur future rentrée ensemble. Ces quelques lignes arrivées inopinément s'apprêtent à briser leurs destins.

S'il y en a une qui est heureuse, c'est Marie. Quand, trois jours plus tard, elle reçoit la lettre de Jean, elle ne peut s'empêcher de sauter de joie. Elle redoutait un refus catégorique. Cela n'avait déjà pas été facile de convaincre Gaston de faire une place à un enfant qui n'est pas le sien, mais, au moins, elle retrouvera son allié de toujours, celui avec qui la vie a toujours été plus douce, presque facile.

Les années ont été compliquées pour elle à Paris. Elle a d'abord dû vivre à l'hôtel plus d'un an, à ne rien pouvoir économiser, elle a ensuite sympathisé avec une autre serveuse, chez qui elle a fini par emménager. Elles ont tout partagé : le lit, les vêtements, les pourboires (même si ceux de Marie étaient toujours les plus importants), les plats de pâtes sur le pouce à 2 heures du matin en rentrant après la fermeture de leur bar, et leurs déboires, leurs espoirs envolés, les désillusions d'une existence plus douce.

Elles sont restées ainsi plusieurs mois, dans leur chambre de bonne, sous les toits de Boulogne. Même pas les moyens de se payer un bout de son rêve parisien.

Marie a beaucoup culpabilisé de ne pas écrire à son fils. Mais elle avait trop honte : qu'aurait-elle pu lui dire ? Qu'elle ne faisait aucun progrès, que la vie était toujours plus chère, que prendre un appartement, même un studio, lui était inaccessible si elle s'y installait seule. Alors elle a cherché quelqu'un avec qui partager un toit, et aussi un bout de son cœur. Elle a mis longtemps avant de trouver un compagnon.

Gaston n'est sûrement pas le bon, mais, contrairement au premier fiancé de Marie, qui avait l'alcool triste, celui-ci l'a plutôt joyeux. Elle ne pouvait pas tellement le rencontrer ailleurs que dans sa brasserie qu'elle ouvre le matin à 8 heures et dont elle fait la fermeture, de toute façon.

Le samedi soir, elle s'autorisait parfois à sortir en discothèque avec les copines de sa colocataire. Comme elle l'avait fait le soir du baptême du petit Michel, quand elle avait revu Jean. Elle ne savait pas qu'il serait là. Elle avait paniqué, avait été prise au dépourvu et avait tout dit de travers. Elle n'avait même pas osé le rappeler ensuite pour s'excuser. Comment aurait-il pu lui pardonner tant qu'elle restait avec son vague « À bientôt » ?

Avec ses amies parisiennes, elle se sent enfin elle-même, belle, féminine, vivante. Leurs sorties lui accordent une pause, elle s'évade un instant, libre, et oublie son aliénation à son travail qu'elle a fini par détester. Les mêmes clients « au p'tit jaune » dès l'ouverture, les mains baladeuses à la fermeture, les corvées de nettoyage de waters, et les remontrances de son patron, qui trouve ses jupes toujours trop longues et ses pantalons carrément intolérables.

La satisfaction du client avant tout. Le contentement de l'Homme, du mâle. Son effacement à elle.

Finalement, la vie à Paris ne vaut pas mieux que celle à Granville, même si, à la capitale, elle peut chanter sur scène, un soir par semaine, sans se sentir jugée. Un jour peut-être, elle en fera son métier.

Pour le moment, elle obscurcit sa voix à coups de cigarettes brunes et éclaircit ses cheveux pour se donner un air de Marilyn.

Avec les hommes, cela se passe rarement bien. Des accidents de parcours souvent, toujours des cœurs brisés, parfois des gestes déplacés.

Quand sa sœur Françoise lui annonce la santé fragile de Lucette, Marie tanne Gaston d'accepter son passé, sous leur toit. Il l'aime tellement, il ne peut rien lui refuser.

C'est donc pleine d'espoirs qu'elle s'accoude au bar et inscrit sur la plus belle carte qu'elle a trouvée sa réponse à Jean : elle vient le chercher dès samedi prochain, par le train. Dans ces quelques phrases, elle laisse échapper une information, qui risque de chambouler le monde de Jean. Elle ne lui avait pas tout dit.

54

Quand les poules auront des dents

Depuis plusieurs jours, Jean ressasse : « Faites qu'elle ne revienne pas me chercher », maugrée-t-il.

Il ne peut pas croire que sa mère va réellement le reprendre. S'il prie suffisamment le petit Jésus, peut-être qu'il parviendra à ce qu'elle change d'avis. Cela avait si bien marché la dernière fois et, depuis, il a été très assidu au catéchisme de Clint Eastwood.

Le petit garçon redoute les retrouvailles avec une mère qu'il ne comprend plus, et surtout la rencontre avec un inconnu, chez qui il va encore se sentir de trop, en envahissant un territoire qui n'est pas le sien. Quand il croise Lucien, celui-ci lui tend une carte, la mine grave. Il l'a encore lue avant lui : aura-t-il un jour le privilège de garder secret le contenu du courrier qu'il reçoit ? C'est signé *Marie*.

Devant l'ascenseur qu'il oublie d'appeler, Jean se déride presque en constatant que, pour la première fois, elle s'adresse à lui. Dans cette carte – on ne peut pas tout avoir –, elle n'utilise pas le vexant « Maman » à l'attention de Lucette, comme s'il n'était pas capable de lire, de comprendre, comme s'il était resté un enfant. Il n'a plus 6 ans depuis cinq ans. Elle l'aura oublié à force de le négliger.

Puis ses yeux butent sur une phrase qu'il relit plusieurs fois, sans comprendre…

Jean,
Je suis si heureuse que tu acceptes de me rejoindre à Paris. J'arrive samedi en huit par le train de 12 h 50 pour venir te chercher. Tiens-toi prêt à la gare, nous repartirons aussitôt avec la micheline de 13 h 10. J'ai si hâte de te retrouver. Gaston se joint à moi pour t'embrasser, ton petit frère aussi.

Marie.

Jean n'est pas certain de tout saisir. Il retrouve sa grand-mère assise dans la cuisine et lui tend la carte afin qu'elle en éclaircisse le sens.

— Tu sais que je ne vois plus bien clair, mon petit. Je n'arrive pas à déchiffrer son écriture en pattes de mouche. Tu ne veux pas lire pour moi ?

À voix haute, il parcourt à nouveau le message. Il bute encore sur le mot « frère ».

John, son demi-frère anglais, est assurément plus vieux que Jean, il aurait quasiment l'âge de Marie, d'ailleurs. Alors pourquoi mentionne-t-elle un « petit » frère ?

Pour Mémé Lucette, cela ne fait pas un pli : Marie a un deuxième enfant, avec qui le jeune Normand vivra à Paris, auprès d'elle et de Gaston. Décidément, plus rien ne l'étonnera jamais avec sa fille.

Jean, lui, est en colère. Il ne peut s'empêcher d'enrager et de douter de la bonne foi de sa mère : elle a carrément refait sa vie, sans lui. Pourquoi veut-elle le reprendre, maintenant ?

Mémé Lucette se montre cartésienne : Marie a toujours dit qu'elle reprendrait Jean quand elle serait installée. Dans la famille, on tient parole. Jean reste sceptique, mais samedi en huit va arriver très vite : il faut profiter de chaque instant auprès de ceux qu'il aime. Et faire contre mauvaise fortune bon cœur ! Il court embrasser Lucette, l'enlace longuement, puis file au cimetière : il va prendre conseil auprès de Marcel, son grand-père. Il connaissait bien Marie et l'aimait tant. Il saura sûrement l'aider à mieux la comprendre.

Sur le chemin, Jean se demande subitement si son grand-père sera vraiment en mesure de répondre à ses interrogations.

Qui ne tente rien n'a rien !

55

En rang d'oignons !

Penché sur la tombe de son Pépé, les mauvaises herbes à la main, Jean vide son sac et laisse sortir ses larmes. Il oscille entre rage et incompréhension. Ce dont il est certain est qu'il ne veut pas aller à Paris. Il ne veut pas vivre loin de Mémé Lucette. Si seulement Marie était prête à venir s'installer à Granville, les choses seraient bien différentes, et Jean ne se montrerait pas si braqué.

Comme prévu, Pépé Marcel reste muet comme une tombe. Quand Jean hausse la voix pour obtenir une réponse, un visage familier pointe le bout de son nez. Lucien. Même s'il est porteur de bonnes comme de mauvaises nouvelles, Jean s'est attaché à ce joyeux luron. Il rend sa Mémé Lucette si heureuse, et pas seulement grâce aux plis des Bergères de France. S'il doit laisser sa grand-mère, Jean sait qu'avec lui elle est entre de bonnes mains, les meilleures sûrement. Lucien est joyeux, généreux et, à son contact, cela semble contagieux. Même Anita se laisse aller à philosopher avec lui, dès qu'elle le peut. Jean soupçonne qu'elle aborde avec le facteur des sujets dont elle ne discute même pas avec lui. Il a vraiment un don pour écouter les gens et toujours dire ou faire ce qui est utile. Jean le considère comme sa propre famille.

Chaque fois qu'ils partagent un repas ensemble, Lucien a immanquablement une histoire farfelue à raconter : soit toute fraîche de sa tournée, soit une nouvelle envie de sensations fortes qu'il veut tester. C'est un drôle d'oiseau, mais il va bien avec sa grand-mère, qui en connaît tous les noms.

Le facteur a pris au mot les commandements de Jean. Si Mémé Lucette est vraiment trop rouillée pour désherber les stèles de ses proches, il s'en chargera. Quelle n'est donc pas sa surprise de retrouver Jean qui s'y attelle déjà.

— Comment vas-tu, mon p'tit bonhomme ?

— Je ne suis pas *ton* p'tit bonhomme. Je n'appartiens à personne. Et puis, je ne suis plus petit, j'te ferais dire. J'ai 11 ans.

— Tu as raison, excuse-moi.

— J'en ai marre, j'ai l'impression de compter pour du beurre. On me balade d'un endroit à un autre, on m'y oublie, on me récupère, mais on ne me demande jamais mon avis ! Cela n'intéresse donc personne ?

— Si, bien sûr. Mais ce sont les adultes qui décident pour les enfants. Toujours. C'est comme ça, même si je sais que cela peut sembler injuste. Tu es mineur, donc sous la responsabilité de ta mère, jusqu'à tes 21 ans, à moins qu'elle n'autorise ton émancipation à 16 ans.

— Elle a bon dos, la *responsabilité* ! Ma mère s'en souvient quand ça l'arrange. Et là, c'est trop tard.

— Tu n'as jamais eu besoin d'une deuxième chance dans ta vie ?

— Non ! Moi, je fais attention aux gens qui m'entourent.

— Même à Anita ? Tu ne lui as jamais brisé le cœur sans t'en rendre compte ?

— Jamais, non. Enfin, je crois… répond-il songeur.

— Nous faisons tous des erreurs, parce que nous sommes humains. Certaines ont des conséquences plus graves que d'autres, certaines ont des répercussions sur autrui. Pardonne à ta mère. Souviens-toi comme tu l'aimais, comme tu attendais chaque jour un courrier, comme vous étiez proches. Parfois les situations changent, mais, au fond, pas les gens. Donne-lui l'opportunité de te montrer qui elle est, qui elle est restée. Si cela ne te convient pas, écris-moi, et je viendrai lui tirer les oreilles !

Jean rigole. Il aimerait bien voir ça, ce nounours en guimauve de Lucien à l'œuvre. Le garçon n'a d'ailleurs jamais compris pourquoi il ne s'était jamais trouvé une femme. Assurément, Mémé Lucette est bien trop vieille pour lui et, entre eux, il n'y a toujours eu que la complicité d'une grande sœur pour son petit frère. Mémé Lucette fait son possible pour le protéger de la cruauté du monde, de ses lubies folles parfois. Comme avec lui.

Le garçon se contente de dire :

— Merci Lucien. Allez, viens, on va finir ta tournée ensemble. J'ai faim et je mangerais bien une part de tarte de chez Mme Lebon, lance-t-il dans un clin d'œil.

— Tu as raison, moi, j'ai soif !

Bras dessus bras dessous, ils sortent du cimetière, délaissent leurs démons et enfourchent le vélo du postier.

Roulez jeunesse !

56

Au revoir, au revoir, Président !

Jean, qui adore Victor Hugo depuis que son maître lui a fait découvrir *Le Dernier Jour d'un condamné* lors d'une dernière retenue, a désormais l'impression d'être dans la cellule du protagoniste. Comme ce prisonnier, lui n'a rien fait – ou, tout du moins, on ne le sait pas. Pourtant il compte les jours, les heures qui le séparent de sa condamnation ferme : le train de 12 h 50, ce samedi 15 septembre.

Tel le postier qui effectue sa tournée, Jean s'arrête chez ses commerçants préférés, tous ceux qu'il va sincèrement regretter : M. Lestrange, Mme Ricin, la dame de la papeterie – il n'arrivera décidément jamais à retenir son nom, alors qu'elle le lui répète à chaque fois –, et il salue même le Père Denis, qui lui donne des recommandations, notamment sur la paroisse à privilégier.

Ensuite, il retrouve avec plaisir ses bons vieux camarades, Thierry et Achille, dans une course effrénée derrière des papillons d'une grande beauté. Aucun des deux ne lui a tenu rigueur de ne pas avoir vengé la France lors de son séjour à Baden-Baden. Jean s'est abstenu de leur raconter à quel point il s'y était amusé, ni même qu'il aurait été prêt à les abandonner pour y vivre.

Enfin, il doit affronter « son » Calvaire. Il garde le meilleur pour la fin. Ou le plus éprouvant, peut-être. Il a d'ailleurs repoussé ce moment au maximum. Le vendredi, sa valise blanche à autocollant Disney bouclée et, cette fois, pleine à craquer, il est temps de dire au revoir à celle qui lui manquera le plus – après Mémé –, Anita.

Après avoir grimpé la côte et les trois étages, il sonne, le souffle court, chez Mme Bellanger. Il est rouge, mais peine à croire que cela soit lié à l'effort. Son cœur bat si fort qu'il semble vouloir se faire la malle. Depuis quand discuter avec Anita lui demande-t-il du courage ?

Mme Bellanger lui ouvre, l'air surprise. La jeune fille n'est pas là. Elle ne rentre que le lendemain après-midi.

Le cœur de Jean s'arrête. Il sera déjà parti.

57

Laisser tomber
comme une vieille chaussette

Quand Mémé Lucette l'accompagne sur le quai, le train en provenance de Paris va entrer en gare. Il aurait souhaité du retard, comme la dernière fois, dans un espoir fou de croiser Anita avant son départ, mais la micheline semble n'en faire qu'à sa tête. Son amie trouvera son mot trop tard.

Il n'a aucune envie de voir sa mère passer une tête hors du wagon et, pourtant, une main gantée le salue déjà. Toujours aussi élégante ! Là-bas, lui n'a pas l'intention de changer. D'ailleurs, il a déjà choisi la couleur de la laine sur l'échantillonnage des Bergères de France. En désignant le nouveau vert menthe, il a lu dans les yeux de sa grand-mère qu'il n'aurait pas pu lui faire de plus beau cadeau. La vieille dame passera l'hiver à tricoter sur ses genoux le futur pull de son petit-fils, tout en écoutant leurs émissions de radio préférées.

Aucun des deux n'a souhaité se dire adieu, pas même un au revoir. Dans six semaines, pour les vacances scolaires, il la retrouvera. En entendant la vieille dame tousser longuement, il ne peut s'empêcher de prier intérieurement : « Ne me l'enlevez pas, pas maintenant. »

Petit Jésus ne l'a pas aidé à faire rentrer Anita plus tôt. Alors, qu'il prenne au moins soin de sa Mémé revêche au grand cœur !

Il fait un rapide baiser à sa grand-mère, puis monte dans le wagon, avec l'enthousiasme d'un pendu. Il ne veut pas se retourner, sinon il sait qu'il va craquer, alors il avance. Soudain, il saute du train pour enlacer Mémé le plus fortement du monde. Quand ils se regardent, en silence, les yeux dans les yeux, Jean se rend compte qu'ils font désormais la même taille. Que de temps s'est écoulé ensemble ! Elle va lui manquer. Énormément.

Même si, parfois, il pouvait être ingrat et songer qu'il était las de leur tête-à-tête, il en reprendrait bien un peu, comme une grosse part de tarte. Même pour dix ans ferme.

— Va, mon petit, ne peut-elle s'empêcher de lâcher pour mettre fin à sa peine.

De la main, la vieille dame salue sa fille et regarde le train repartir vers Paris, en emportant son petit. Jean, qui passe une tête par la fenêtre, jurerait voir une larme briller dans les yeux de sa grand-mère. Peu probable : dans leur famille, ils ne montrent pas leurs émotions. Encore moins Mémé Lucette. Elle a une réputation à tenir.

De sa fenêtre, Anita, tout juste rentrée, voit le train pour Paris quitter le quai à vive allure. Elle n'aura pas eu le temps de serrer son ami une dernière fois contre elle, ni de lui avouer tout ce qu'elle a sur le cœur. Ce genre de choses que l'on n'écrit pas, que l'on préfère dire, la voix tremblante, quand on a peur de perdre, pour toujours, la personne que l'on aime.

Alors qu'elle étreint plus fort encore le nou-nours qu'elle lui a dérobé, un détail la surprend : Mémé Lucette s'est arrêtée sur un banc et, de son beau mouchoir à petits carreaux jaunes et blancs, essuie ses yeux qui ne cessent de pleurer.

Anita ne peut s'empêcher de penser que, pour une famille qui n'a pas la larme facile, ils ont tout ce qu'il faut dans leurs poches.

58

Haut comme trois pommes

Pendant le voyage, Jean n'est pas bavard. Il garde sa valise serrée près de lui : c'est tout ce qui lui reste de sa vie d'avant, quand il était heureux.

Du coin de l'œil, il observe sa mère, cette inconnue qui dort à ses côtés, certainement épuisée par un trajet fastidieux qu'elle réitère dans la même journée. Sa blondeur *hollywoodienne* le perturbe. Il l'a quittée aimante et brune, il la retrouve maladroite et blonde. Il va falloir qu'il s'y habitue. Comme à l'odeur plus forte de ses cigarettes, qui lui gratouillent la gorge. S'il avait encore des velléités de fumer, ces Gitanes l'en dégoûtent pour toujours.

Elle a vieilli : toujours aussi belle, une des plus jolies de son âge assurément, mais son teint est plus terne, ses yeux cerclés par la fatigue. Cinq ans, même à cet âge-là, cela laisse des traces.

Que doit-elle penser de lui ? Ne se dit-elle pas elle aussi qu'elle ne le reconnaît plus ? Où sont passées ses joues rebondies, sa voix aiguë ponctuée de « pourquoi », la douceur enfantine de sa peau ?

Quand il est monté dans le wagon, elle l'a serré dans ses bras tandis que lui est resté froid comme un glaçon. Elle n'a pas osé l'asseoir sur ses genoux pour lui donner un câlin gauche et, surtout, bien tardif. Saurait-elle encore faire ? Il a un si grand corps, de si longues jambes, qu'elle en a perdu ses repères. Tout était si naturel, auparavant, les soirs où elle venait s'endormir à ses côtés.

Lorsqu'ils débarquent à Montparnasse, elle lui attrape la main et ne la lâche plus de tout le trajet en métro qui les emporte vers Boulogne.

Jean a le souffle court, il aimerait arrêter de respirer cet air qui empeste. Devant un immeuble à la façade grise, visiblement pas ravalée depuis longtemps, Marie s'arrête, cherche ses clés dans un sac bien trop grand pour elle, avant de lui maintenir la porte, pour le laisser entrer.

Elle jette un coup d'œil à sa boîte aux lettres : deux noms se partagent l'espace restreint d'une étiquette mal collée. Mais pas celui de Jean. Sa mère a encore son nom de jeune fille. Il devra lui demander de faire ajouter le sien, pour qu'il puisse recevoir des lettres de Mémé Lucette, de ses cousins ou d'Anita.

Dans l'escalier, elle passe devant, se saisit de sa valise, qu'elle reconnaît en souriant, puis grimpe les marches raides sur deux étages. Cela sent l'humidité et la cigarette, mais, derrière elle, les cheveux de Marie laissent un sillage parfumé, dont Jean ne discerne pas l'odeur exacte. Enfin, elle introduit sa clé dans une serrure et annonce :

— Nous sommes rentrés ! Vous êtes où ? Je suis épuisée…

Elle passe une tête dans la première pièce à gauche, personne, continue le long du couloir aux murs beige sale, puis, au bout, ils pénètrent dans le salon-salle à manger, dont le canapé marron en velours côtelé est complètement affaissé sous un homme à moustache. Il n'a pas l'air bien réveillé. Il est pourtant plus de 18 heures.

— Jean, je te présente Gaston, mon compagnon.

L'homme s'extirpe avec difficulté du siège trop bas et s'étire de tout son long devant le jeune homme. Il fait au moins 1,90 m, maigre, tout en hauteur, son haleine sent l'anis, mais son cou l'after-shave. Il lui dit :

— Ravi de te rencontrer enfin, Jean. Ta mère m'a beaucoup parlé de toi, tu sais. On a faim, Marie, non ? On mange bientôt ?

Puis il lui ébouriffe les cheveux – décidément, cette coupe en brosse à la Kiki semble irrésistible au toucher. Et personne ne lui demande jamais son avis. Il va falloir que cela cesse, sinon, il va se laisser pousser les cheveux, comme les Beatles. Cette fois, ce ne sera pas Mémé Lucette qui pourra l'en empêcher !

Déjà, Gaston est retourné s'asseoir sur le divan et fixe le poste de télévision, qui dégage une certaine chaleur : il semble avoir été allumé toute la journée. Devant lui, un cendrier Ricard déborde de mégots et de coques de pistaches.

Jean, un peu pataud, observe la pièce étroite : à droite de l'entrée, le canapé qui sent la poussière. En face, le téléviseur en couleurs. À gauche de la porte, un buffet haut sur lequel trône une lampe Berger qui peine à masquer l'odeur âcre de l'appartement, devant une table grisâtre. En renfoncement, derrière un bar en céramique blanche, la cuisine ouverte avec ses meubles en formica bleu clair.

Jean est tout à sa contemplation quand on lui tire la manche. Il se retourne, baisse la tête et tombe nez à nez avec celui qu'il devine être… son frère.

À un détail près : ce garçon-là n'a rien d'un bébé. À vue d'œil, il a 3 ans !

59

Frais comme un gardon

Dans la cuisine, Marie s'affaire. Malgré la fatigue, elle prépare le repas pour ses trois hommes.

Jean ne la lâche pas d'une semelle. Où irait-il de toute façon ? Il ne semble pas non plus y avoir de place pour lui ici. C'est encore un « deux-pièces », mais qui semble en faire quatre à tout casser – en comptant le couloir. La seule chambre minuscule est déjà encombrée par un matelas deux places posé à même le sol et un petit lit qui se replie dans une valise Youpla.

Jean aurait envie d'en vouloir encore à sa mère, et de rester silencieux, mais, pour l'heure, elle est sa seule alliée. Lui, qui est inquiet, perdu, déboussolé, choisit de la bombarder de questions :

— Dis-moi, je vais dormir où ?

— Sur le canapé. C'est ce qu'il y a encore de plus confortable. Nous sommes déjà à l'étroit avec Serge.

Devant la mine interrogative de Jean, la mère précise :

— Ton frère. Il s'appelle Serge.

— Mais, il a quel âge ?

— Deux ans et demi.

Marie ajoute toujours plus d'ingrédients dans son robot Moulinex.

— Et son père, c'est Gaston ?

— Tu es bien curieux, toi. Ce ne sont pas des questions qui se posent, tu sais. Mais oui, Gaston est le papa de ton petit frère. Il va être un peu comme un deuxième papa pour toi, alors, tu dois le respecter comme tel. C'est entendu ?

— Et il fait quoi comme métier, Gaston ?

— Chef de chantier. Enfin, en ce moment, il est un peu entre deux projets. Il reste souvent à la maison.

— Et vous vous êtes rencontrés comment ?

— Dis donc, tu n'as pas la langue dans ta poche ! Notre rencontre n'a rien de très original : il vient souvent dans la brasserie où je travaille. On a sympathisé et, une chose en entraînant une autre…

— Mais tu l'aimes plus ou moins que mon vrai père ?

— Ça non plus, ça ne se demande pas. Tu connais l'expression « avoir un cœur d'artichaut » ? Eh bien, je suis un peu comme ça, moi. Je tombe follement amoureuse : cela a été le cas pour ton papa, et aussi pour Gaston. Et puis, parfois, l'amour s'en va. Ce n'est pas triste, c'est la vie.

Jean observe sa mère jeter les morceaux de carottes dans son robot mixeur. Il n'a jamais vu Lucette ni même Françoise utiliser un tel engin.

— Tu cuisines quoi, là, Marie ?

— Appelle-moi Maman, mon chéri. Une soupe de légumes.

— Pourquoi tu mets autant de beurre ?

— Parce que c'est le secret, le beurre et la crème, Jean. Tiens, tu sais éplucher les légumes ?

— Oui, quand même : j'ai 11 ans !

— Parfait, alors tu seras mon petit commis. Pèle-nous encore trois patates et une courgette. Après, mets le couvert, s'il te plaît. Les verres et les assiettes sont dans ce placard.

Jean attrape l'économe et s'exécute. Une fois les pommes de terre prêtes, il dispose sur la table les verres à moutarde et les assiettes dépareillées. Il reste inquiet pour son avenir. Il regarde Gaston qui fixe toujours l'écran, pendant que

Serge joue avec une petite voiture entre le téléviseur et le canapé.

— Marie, euh, Maman, je vais aller dans quelle
école lundi ?

— Celle au bout de la rue. J'ai eu de la
chance, il leur restait une place en septième.

— Mais, moi, je dois rentrer en sixième ! Tu
ne sais pas que j'ai sauté une classe ? interroge,
choqué, le garçon.

Jean boude, sa mère continue.

— Tu seras dans une classe mixte. Cela va te
changer de ta Normandie.

— J'aurais aussi été avec des filles à Granville,
sûrement même avec Anita.

— Oh, tu as une amoureuse !

— Ce n'est pas mon amoureuse, et oui, j'aurais bien aimé rester là-bas… Être avec elle, je
veux dire.

— Tu es peut-être triste de ne plus être avec
tes copains, mais je t'assure qu'ici tu vas t'en
faire plein de nouveaux. Tiens, déjà à l'étage du
dessous, il y a la famille Martinez, les Espagnols,
ils ont un fils à peu près de ton âge, José.

Des Espagnols ! Jean se fait la remarque de
vérifier qu'ils n'aient pas la grippe. Il ne voudrait
pas finir comme son oncle Gabriel.

Après le repas, Marie va se coucher, tout
comme Serge. Jean ne peut pas s'allonger : sur

le canapé, Gaston pique du nez devant la Deuxième chaîne. On passe un reportage sur les drogues qui envahissent la France et les États-Unis. De voir tous ces junkies se piquer dans les cages d'escalier ne donne pas du tout envie au jeune garçon d'essayer un jour. Encore plus effrayant que Belphégor ! Jean s'installe contre l'accoudoir et cherche à s'endormir, malgré le son trop fort.

Quand il se réveille, en pleine nuit, le poste de télévision ronronne sur une image fixe. La mire. Le garçon est bordé, recouvert d'une chaude couverture en crochet, qui lui est familière. La seule chose que Marie ait gardée de leur vie d'avant.

Aux premiers rayons du soleil, le lendemain matin, Jean file dans la salle de bains pour se débarbouiller en premier. Il doit être tout propre aujourd'hui. On est dimanche. Il se passe un coup d'eau sur le visage, un peu de Monsavon sur les parties stratégiques, il n'y a pas de gant ici, puis observe tous les flacons de toilette placés dans un panier au-dessus du lave-linge. Il hume chaque crème, retrouve l'after-shave de Gaston, un déodorant vert au parfum entêtant – Brut de Fabergé, puis asperge la baignoire d'Elnett. C'est à ce moment-là qu'il reconnaît l'odeur particulière qui l'avait titillé dans la chevelure de sa mère. La laque ! Son eau de Cologne a été remplacée par un autre parfum, dont le nom lui rappellerait presque quelque chose : *Diorella*… Celui d'un stade de foot (pour une raison qui lui échappe) ou de la méchante des *101 Dalmatiens* ? Comme un mauvais présage…

60

Roule, ma poule

Quand il sort de la salle de bains, vers
9 heures, Jean se poste devant la porte close de
l'unique chambre, prêt pour aller à la messe : pas
un bruit. Il retourne s'installer dans le salon pour
dessiner. Une heure plus tard, Serge le rejoint et
allume la télévision. Cet enfant n'a pas prononcé
un mot depuis son arrivée. À croire qu'il ne sait
pas parler. En revanche, il sait hurler et pleurer :
vérification faite cette nuit.

Vers 11 heures seulement, Marie émerge. Jean
cache ses croquis et réprimande sa mère :

— On va être en retard, Maman !

— En retard pour quoi ?

— Bah, la messe ! On est dimanche, quand
même !

— Mais on ne va pas à l'église, nous, Jean.

— On fait quoi alors le dimanche, ici ? Le marché va être plein à craquer aussi. Vous vous levez drôlement tard !

— C'est mon seul jour de repos, Jean, donc oui, j'en profite, surtout qu'on ne peut pas dire que je dorme bien la nuit, entre les cris de ton frère et les ronflements de Gaston. Ne t'inquiète pas, dès demain matin, je serai levée avant toi : j'ouvre le bar à 8 heures. Ça te dit d'aller faire un tour du quartier ?

— Humm…

— Cache ta joie ! Laisse-moi cinq minutes, le temps de me rafraîchir et on y va. Je vais te montrer ton école. Tiens, en attendant, aide-moi et habille ton frère, lance-t-elle en lui tendant un pantalon en côtes de velours et un pull jacquard.

Jean est malhabile : il n'a jamais touché un bébé, même un grand de deux ans et demi. Parmi ses cousins, il a toujours été le plus jeune. Son frère est un coriace : il n'arrête pas de bouger et refuse de se laisser faire. C'est une vraie bataille pour enfiler deux malheureuses chaussettes. Le petit passe son temps à enlever tout ce qu'il réussit à lui mettre. Quand Jean ruse en lui donnant une tartine, Serge se laisse faire.

La technique pain-beurre. Il la retentera.

Lorsque Marie et ses deux fils descendent les escaliers, elle allume une cigarette, puis toque à

274

la porte de leurs voisins du dessous. Un jeune homme, 14 ans passés, leur ouvre en toussant.

— Justement, José, c'est toi que l'on vient voir. On n'en a pas pour longtemps : je voulais juste te présenter Jean, mon fils aîné. Il va habiter avec nous à présent. Vous pourrez jouer ensemble de temps en temps ou aller au cinéma ?

Jean, dubitatif à première vue et peu favorable à ce genre d'amitié forcée, se ravise devant l'idée d'aller voir des films. À Granville, ils n'en passaient que trois par semaine, mais à Paris… Ses yeux s'illuminent. Et puis, cet Ibérique-là, avec ses boucles sombres qui lui tombent dans les yeux, il n'a pas l'air futé, mais semble être un bon gars.

Marie les emmène arpenter le quartier, jusqu'aux portes de Paris. Gaston est resté à l'appartement. Serge, pour un petit, marche bien et ne réclame pas les bras de sa mère. Marie désigne l'école primaire, dont l'inscription « école pour filles » et « école de garçons » au-dessus de l'entrée semble tout à coup démodée. Un peu plus loin, la jeune femme s'arrête devant un bar, précise que ce n'est pas ici qu'elle travaille, et entre, un instant, acheter des cigarettes. Ses Gitanes à rouler.

Jean est un peu déçu. Ne lui avait-elle pas dit dans ses lettres qu'ils passeraient devant les monuments, les cinémas et les parcs ? Ils n'ont même pas fait le marché ni découvert les commerces, pas même la mercerie pour acheter de la laine. Ils se sont toutefois arrêtés devant une belle voiture, une Peugeot 403 verte : celle de Gaston. Un week-end prochain, ils la prendront pour aller rendre visite au père de Gaston à la campagne. Pas aujourd'hui, précise-t-elle.

Quand ils rentrent de leur courte balade, les enfants ont faim, Marie aussi. Gaston est posté devant le téléviseur, armé d'un verre de Ricard et d'une cigarette. Lui aussi a l'appétit dans les talons. Marie prépare une purée mousseline avec des tranches de jambon qu'il lui restait dans le réfrigérateur.

Jean admire la rapidité avec laquelle elle confectionne sa recette. Avec Lucette ou Françoise, il fallait toujours un temps fou pour obtenir une consistance onctueuse. Devant les yeux écarquillés de son fils, Marie ajoute :

— Et encore, tu n'as pas vu comment je prépare la semoule… Juste de l'eau chaude, on laisse gonfler, et le tour est joué !

Jean est curieux de voir ça. Lorsque sa première journée s'achève, Jean ne se sent toujours pas à l'aise, ni dans l'appartement, ni avec Marie, et sent le stress monter. Demain, il fait sa rentrée. Dans une nouvelle école, dans une classe mixte. Sa mère lui a acheté un cartable neuf, un stylo-bille et un cahier *Le Conquérant* – tout un programme –, pourtant il redoute encore de se faire exclure faute de fournitures complètes.

Marie déloge Gaston du canapé :

— Le petit a école demain. Il faut qu'il se couche tôt. Éteins-moi cette télévision, s'il te plaît.

Jean s'allonge inquiet. Il doit se lever seul avec le réveil Mickey rouge que sa mère a remonté pour lui. Marie lui a tout expliqué : elle sera partie au travail, Gaston sur un chantier, et Serge chez Mme Martinez, la voisine du dessous.

Jean passe la nuit, les yeux ouverts, à écouter le tic-tac régulier. Quand la sonnerie se fait entendre, il vient à peine de sombrer. La journée va être longue.

61

Haut les mains, peau de lapin !

Mme Bigot, la maîtresse de septième, semble bien plus commode que n'importe lequel de ses professeurs en Normandie. Elle a un air un peu fofolle avec ses cheveux courts bouclés roux qui rebiquent dans tous les sens et sa voix qui monte dans les aigus chaque fois qu'elle demande le silence.

La première journée se passe sans embûches. Le niveau est vraiment trop facile pour Jean : additions, soustractions, table de multiplication, départements, lecture des *Fables* de Jean de La Fontaine. Le petit garçon baye aux corneilles, lorsque la maîtresse cherche un volontaire pour résoudre un exercice au tableau.

Jean ne veut pas se faire remarquer : même s'il connaît la solution, hors de question de lever

278

la main. Jusqu'à présent, personne ne sait qu'il existe : il semble transparent aux yeux de ses camarades qui se connaissent depuis des années. Mme Bigot, devant le manque de courageux, désigne le petit nouveau.

Jean attrape la craie et en un coup de cuillère à pot résout l'opération. Il n'y avait vraiment rien de bien sorcier. À la fin de la journée, quand la maîtresse le convoque, il est surpris. À moins qu'elle n'ait pris conscience qu'il serait plus judicieux de le faire passer, comme prévu, en sixième. Ses premières questions se montrent attentionnées à l'égard du nouvel arrivant.

— Comment s'est passée ta première journée, Jean ?

— Très bien, Madame Bigot. Pourquoi ?

— Appelle-moi plutôt Maîtresse, s'il te plaît. Étant donné que tu viens de rejoindre l'établissement, je voulais m'assurer que tout allait bien.

— Oui, ça va, j'ai causé avec deux ou trois camarades, tantôt.

— Tu sais, Jean, Paris, ce n'est pas la campagne. Le niveau attendu est élevé.

— Ce ne sera pas un problème. Moi, j'ai déjà sauté une classe. Donc là, c'est facile.

— Je préfère te prévenir, c'est tout, car tu ne parles pas aussi bien français que les autres élèves. J'en viens à me demander si cette classe que tu as sautée – la neuvième, c'est bien cela ? – ne t'aurait pas été utile.

— Je ne comprends pas, Maîtresse.

— Tu vois, tu ne t'en rends même pas compte. On ne dit pas « causer » en français, mais « parler ». On ne dit pas « tantôt » à Paris, mais « cet après-midi ». On n'est pas au café du Commerce !

Jean tombe des nues. Depuis quand on ne peut plus employer ces expressions ? Mémé Lucette et ses cousins les utilisent à tout bout de champ. Et cela étonnerait beaucoup Jean que Mémé Lucette ne sache pas s'exprimer comme il faut. Elle passe son temps à reprendre tout le monde.

Le jeune homme s'apprête à dire à sa maîtresse ce qu'il a sur le cœur, mais elle poursuit :

— Et puis j'ai remarqué qu'au tableau tu changes tout le temps ta craie de main. Tu as le droit d'être gaucher, mais tu ne peux pas constamment permuter. C'est une question d'équilibre mental. Rassure-toi, tout va bien : on forme une équipe. Le cours moyen sert à remettre les choses dans l'ordre et nous allons y arriver, ensemble. J'ai vu sur ta fiche que tes parents n'ont pas fait d'études, donc dis-moi si tu as besoin d'aide pour tes devoirs. Le niveau va être de plus en plus dur pour toi : ce n'est pas grave si tu arrêtes l'école à 13 ans, comme eux, mon petit.

— Je préfère autant que vous m'appeliez Jean ! dit le garçon en ramassant ses affaires.

D'élève modèle à bonnet d'âne, il n'y a donc qu'un pas.

62

Une vie de patachon

Sur le chemin du retour, Jean fulmine. Il va lui montrer de quel bois il se chauffe. Tout le monde le prend pour un plouc, mais il est bien plus débrouillard et intelligent que n'importe lequel de ses camarades. D'ailleurs, ils se prennent tous pour des Parisiens, alors qu'ils habitent Boulogne !

La clé autour du cou, il pénètre dans l'immeuble et entend pleurer au premier étage. Quand il rentre chez lui, il trouve son beau-père qui comate sur le canapé. Cela sent l'anis et le renfermé. Jean s'installe sur la table de la salle à manger et commence ses devoirs. En deux temps trois mouvements, c'est bouclé. Par contre, il a besoin de se concentrer pour apprendre la fable par cœur.

Lorsqu'il éteint le poste de télévision, Gaston se réveille et le salue :

— Eh, tu es revenu ? Mais quelle heure est-il ?

Il regarde sa montre :

— Déjà 18 h 30 ? Tu as traîné en revenant de l'école. Il ne faut pas être en retard, sinon Mme Martinez va être fâchée.

— Non, je suis rentré directement et, là, je faisais tranquillement mes exercices. Je ne comprends pas pourquoi la voisine serait en colère après moi ?

— Marie ne t'a pas dit ? Tu dois récupérer ton frère en rentrant. Sinon, elle s'énerve : elle n'est pas payée après 16 h 30. Va vite le chercher et occupe-toi de lui.

— Mais j'ai des devoirs. Je dois apprendre une poésie.

— Tu le feras après, une fois qu'il se sera endormi. Je dois filer, Jean, je suis obligé d'aller voir comment ils ont avancé aujourd'hui sur le chantier. Lorsque je reviens, j'aimerais que vous soyez couchés, OK ?

— Mais elle rentre quand, Maman ?

— Ta mère, elle finit à 2 heures du matin. Mon conseil : ne l'attendez pas.

— Et toi, tu en as pour combien de temps ?

— Longtemps.

— Comment on fait pour le dîner ?

— Tu sais ouvrir un frigidaire ? Serge n'est pas très difficile quand il a faim. Allez, mon grand, ne tire pas une tête de six pieds de long. Tu vas la retrouver ce week-end, ta maman. Et je vous emmènerai voir mon père, à la campagne. Il a une grande ferme avec plein d'animaux.

Gaston s'en va, en allumant une cigarette et en laissant Jean à son désarroi. Cela ne lui semble pas du tout normal d'être abandonné ainsi à son sort. Il fixe le téléphone beige dans l'entrée et hésite un instant à appeler Lucien. Il le lui avait promis : en cas de coup dur, le facteur serait le premier qu'il préviendrait, pour ne pas inquiéter inutilement Mémé Lucette.

Jean est tiré de sa torpeur en entendant pleurer chez les voisins. Serge ! Il fonce chez Mme Martinez, sonne : personne. Il commence à s'inquiéter et espère sincèrement que son petit frère n'est pas enfermé, seul, chez la voisine.

En voyant José monter les escaliers une bouteille de lait à la main, il craint le pire et lui hurle dessus.

— Non mais je rêve ! Ne me dis pas que mon frère est seul chez toi ?

José ouvre la porte. Jean voit Serge, debout en larmes, dans le parc en bois, derrière des barreaux auxquels il s'agrippe fort.

— Il avait faim : je suis allé à la droguerie lui acheter du lait. L'épicerie était fermée.

— Et tu l'as laissé seul ? Tu es cinglé !

— Ma mère dort dans la pièce à côté. Elle est crevée. Tu sais à quelle heure la tienne lui dépose le petit le matin et de combien d'enfants elle doit s'occuper toute la journée ? Alors, quand on ne sait pas de quoi on cause, on se tait.

— Pourquoi tu n'as pas pris Serge avec toi ?

— Je n'ai que deux bras ! dit-il en désignant du menton deux autres camarades, pas plus grands que Serge, jouant dans un coin du parc.

D'un coup d'épaule, Jean bouscule José sur son passage et attrape Serge.

— Tu es un grand malade, toi ! Je vais dire à ma mère que tu fréquentes les drogueries au lieu de surveiller les enfants : elle ne va pas aimer ! Pas étonnant que vous, les Espagnols, à vous piquer comme ça, vous attrapiez la grippe !

Jean est en colère. Il en veut à sa mère, à Mme Martinez, à José. À lui-même, surtout. Ce qui est sûr, c'est qu'il ne sera plus jamais en retard pour aller chercher son petit frère.

63

Myope comme une taupe

La semaine file vite, malgré le rythme lent de l'école. Ce programme, Jean le connaît sur le bout des doigts. Alors il passe son temps à dessiner sur la dernière page de son carnet. À ce rythme-là, il devra en changer avant les vacances scolaires.

Dès la fin de la classe, il court chercher son frère chez Mme Martinez. S'il n'avait pas ce mauvais souvenir du premier jour, il la trouverait très gentille et attentionnée envers chaque enfant.

Serge ne parle toujours pas, mais Jean fait comme si. Il lui raconte sa journée, sa maîtresse qui crie pour exiger le silence, ses camarades de classe – les jolies filles comme les cancres, les haricots verts avec des fils de la cantine, et les nouveaux films au cinéma qu'il a vus sur des affiches en rentrant.

Il n'aime pas beaucoup Mme Bigot depuis le premier jour et ses remarques condescendantes, mais il doit avouer qu'elle a de bonnes idées. Elle les a emmenés à la bibliothèque municipale. Pour Jean, ce fut une révélation. Des livres par milliers. À emprunter à souhait. Après mûre réflexion, il avait choisi un ouvrage très coloré pour bébés, avec tous les animaux de la ferme. Pour Serge. Ses camarades s'étaient moqués de lui, mais il s'en fichait pas mal. Il n'avait rien à prouver à personne, lui qui avait déjà dévoré par deux fois *Les Misérables* de Victor Hugo, et *Le Hobbit* de son cousin.

La nuit, parfois, Jean tend l'oreille et perçoit le bruit discret de sa mère qui rentre du travail. Désormais, elle ne se faufile plus contre lui le soir pour s'endormir. Elle n'est peut-être plus si malheureuse qu'elle l'était avant ? Ou alors, elle aime Gaston plus que lui ?

Quand le week-end arrive enfin, Jean se retrouve de nouveau en tête-à-tête avec Gaston. Et avec Serge. Jean a des migraines, le bruit de la télévision constamment allumée lui est insupportable. Lorsqu'il demande à sortir de l'appartement, Gaston le charge toujours d'acheter des cigarettes, en emmenant son petit frère avec lui.

287

Jean et Serge font la tournée des bars – si Mémé Lucette savait ça ! –, achètent du tabac et gardent la monnaie pour pouvoir se payer des places de cinéma. C'est leur petit secret.

Le dimanche, c'est jour béni pour Jean qui peut enfin retrouver sa mère. À 9 heures, il gratte à la porte de la chambre et la tire de son sommeil.

— Maman, tu dors ? J'ai besoin de te dire quelque chose.

Marie, les yeux rougis par une nuit trop courte, se lève, chancelante.

— Qu'y a-t-il, mon beau ?

Jean fait une drôle de moue. Il n'ose pas dire tout ce qu'il a sur le cœur. Cela fait une semaine qu'il se retient et il a peur de vexer sa mère.

— Dis-moi ce qui ne va pas. Je ne me fâcherai pas.

— On ne peut pas continuer à laisser Serge avec Mme Martinez. Quand je suis arrivé, elle dormait au lieu de s'occuper de lui. Je ne trouve pas ça très normal, moi !

— Effectivement, moi non plus. Je vais lui en parler demain matin. Merci, Jean, de m'avoir prévenue.

— Il faut que tu saches aussi que José, il traîne dans les drogueries, c'est grave… Je ne veux plus jamais avoir affaire à lui.

— Mais, mon grand, ce n'est pas ce que tu crois ! Les drogueries ne vendent pas plus de drogues que les blanchisseries ne blanchissent d'argent. Allez, décontracte-toi, tout va bien.

— Non, tout ne va pas bien. J'en ai marre de ne jamais te voir. Je pensais que tu voulais me reprendre pour passer du temps avec moi, qu'on allait vraiment habiter ensemble. Mais là, je ne vois que Gaston et je dois tout le temps m'occuper de Serge, préparer le dîner pour nous trois, quand je ne suis pas envoyé pour acheter des cigarettes. Je ne trouve pas ça très normal, non plus…

Marie reste bouche bée. Elle a, de toute évidence, sous-estimé les difficultés qu'éprouve Jean dans son nouveau quotidien. Il a besoin de vider son sac. Elle doit lui montrer son soutien et l'écouter. À défaut de pouvoir lui offrir sa vie d'avant.

— Et que voudrais-tu, alors, Jean ?

— Que tu travailles moins, que tu sois là le soir quand je rentre de l'école, par exemple.

Marie reste silencieuse. *Si seulement, elle pouvait !* Jean continue son interrogatoire :

— Et pourquoi Serge, il ne parle pas ? Cela ne te semble pas bizarre à presque 3 ans ? Moi, je crois que c'est parce qu'il n'y a que le poste de télévision qui s'adresse à lui.

— Mais il t'a toi, maintenant. Tu vois bien que je fais de mon mieux, Jean. Serveuse, ce n'est pas un métier facile. C'est toute la journée, six jours sur sept, tôt le matin, tard le soir.

— Pourquoi tu n'en choisis pas un autre, alors ?

— Je n'ai pas vraiment le choix. Je ne sais faire que ça. J'ai arrêté l'école à 13 ans, moi. Il ne faut jamais que tu fasses cette erreur.

— Oui, mais c'est ma maîtresse, Mme Bigot, qui va décider si je passe en sixième à la fin de l'année, et elle m'a déjà parlé d'arrêter l'école, comme toi. Elle dit que ce ne serait pas si grave.

— Je ne la connais pas, cette Mme Bigot, mais je vais aller lui dire deux mots. Je m'arrangerai pour arriver plus tard au travail un matin de la semaine prochaine.

Devant la mine triste de Jean, Marie lui caresse la joue.

— Ça va mieux ?

— J'ai envie de retourner à Granville.

— C'est ici ta maison, maintenant.

— Mais, pourquoi, Maman, tu ne veux pas vivre à Granville ? Avec Mémé, tout serait plus facile pour toi. Moins cher aussi, et on aurait un potager !

— Ma vie est là désormais. Gaston, Serge, mon travail, mes amies. Et puis, Lucette a besoin qu'on la laisse un peu tranquille.

— Elle me manque beaucoup, tu sais ! J'aimerais aller passer les prochaines vacances avec elle.

— Je comprends. On lui téléphonera ce soir. D'abord, on va prendre la 403 pour rendre visite au père de Gaston : comme ça, tu aurais plein de trucs à lui raconter. Tu aimes les animaux ?

64

Comme le lait sur le feu

L'air de la campagne a fait du bien à tout le monde, et ce Pépé n'est pas si mal. Un peu de légèreté regagne la famille. Mais quelques jours plus tard, devant l'institutrice de son fils, Marie se sent tout à coup stupide. Comme sur les bancs de l'école, quand elle essayait de toutes ses forces de comprendre, mais qu'elle n'imprimait rien.

L'enseignante lui parle de cursive, graphisme, verbalisation, dialecte. Marie finit par la couper net.

— Excusez-moi, Mme Bigot, je voulais m'entretenir cinq minutes avec vous pour savoir si Jean a des problèmes à l'école : d'adaptation, de niveau, d'attitude… Si c'est le cas, on s'en parlera plus calmement à un autre moment.

— Alors je suis contente que vous soyez venue à moi, car, effectivement, j'aurais demandé à vous rencontrer.

Marie déglutit. Que va-t-on encore lui annoncer ? Sa vie n'est qu'une succession de problèmes à régler.

— Jean est un gaucher contrarié, et cela me contrarie, si vous me passez ce jeu de mots. Soit on est gaucher, soit on est droitier, mais ambidextre, ce n'est pas évident à appréhender. Pour lui, comme pour moi. Il change de main plus souvent que de chemise.

Marie se redresse, sur ses gardes. Serait-ce une attaque sur le nombre de tenues restreintes qu'elle peut offrir à son fils ?

— Il va falloir l'aider en le considérant, malgré tout, comme un enfant normal. Et le mieux, ce serait de le réorienter dès que possible vers un métier manuel…

Marie se lève d'un bond.

— Êtes-vous en train de me dire, Mme Bigot, que mon fils est anormal parce qu'il sait mieux utiliser sa main gauche que nous ? Entendez-vous par là qu'il n'a pas sa place sur les bancs du collège parce qu'il sait mettre à contribution les deux hémisphères de son cerveau ? Je vais effectivement prendre un rendez-vous plus long, mais ce sera avec le directeur. Au revoir, Mme Bigot.

Marie sort, enragée. Jean pénètre penaud dans la classe, en même temps que ses camarades, qui se demandent quelle mère peut se transformer en une telle furie. Il baisse la tête en espérant que l'orage ne s'abatte pas sur lui. Assez des mauvaises nouvelles !

65

De fil en aiguille…

Lorsque, après l'école, Jean découvre une lettre de sa grand-mère, c'est une énorme déconvenue : Mémé Lucette est malheureusement trop fatiguée pour l'accueillir à la Toussaint. Le petit-fils est terriblement déçu. Qu'à cela ne tienne, il demande aussitôt à sa mère de se rendre en Allemagne, pour voir ses cousins. C'est alors un refus catégorique : Marie n'en a pas les moyens, et elle a besoin de lui pour s'occuper de Serge l'après-midi.

Jean doit donc se contenter d'une vie exclusivement parisienne de septembre à Noël 1973. Pas de visites à Mémé Lucette, à ses cousins ou à Anita. Seulement au père de Gaston, chez qui ils se rendent une fois par mois. Jean a bien reçu du courrier de Normandie, mais cela lui fait une belle jambe de savoir qu'ils pensent tous fort à lui. Les « *tendres baisers* », c'est en vrai qu'il préférerait les recevoir !

À Noël, tous les frères et sœurs de Gaston sont réunis dans le petit appartement de Boulogne : plus de vingt personnes s'agglutinent et les enfants étouffent – au sens propre comme au figuré – parmi tous ces adultes qui boivent et fument plus qu'ils ne mangent. Pour alléger l'atmosphère, Marie demande à Jean d'emmener la marmaille s'amuser dans la cour intérieure.

Le jeune garçon en a marre de jouer les nounous. Il a besoin de prendre ses distances avec cette famille qui le considère uniquement quand il s'agit de rendre service. Tous les enfants se divertissent, Serge compris, mais Jean s'ennuie. Il imaginait différemment son premier Noël, enfin, auprès de sa mère. Depuis le deuxième étage, la voix enjouée de Gaston le tire tout d'un coup de sa rêverie.

— Jean, nous n'avons plus de cigarettes. Tu peux aller nous en acheter, s'il te plaît ?

Un premier flocon de neige vient lui caresser le visage. Jean sera mieux à flâner dans les rues blanchies qu'à surveiller les petits. Il attrape les pièces à la volée que lui lance son beau-père.

Le premier tabac, où il a ses habitudes, est fermé en raison des festivités. Le jeune garçon continue, longtemps, jusqu'aux portes de Paris, où il distingue enfin une enseigne lumineuse : il finit par y trouver « leur » bonheur. Il traîne un peu devant les décorations de Noël, retardant le moment de rentrer.

Sur le chemin du retour, un véhicule, toutes sirènes hurlantes, le dépasse à vive allure. Des alarmes, il en entend toute la journée, même la nuit, à Boulogne. Mais, là, il a un mauvais pressentiment.

Il se met à courir et retrouve la voiture de police chevauchant le trottoir devant son immeuble. Sa mère et Gaston discutent avec des hommes en uniforme : ils semblent paniqués. Jean se fraie un passage et comprend, horrifié, que Serge a disparu. Lorsque Marie l'aperçoit, elle se rue sur lui :

— Il était sous ta surveillance. Comment as-tu pu le perdre ?

— Serge était juste là quand je suis parti. Il jouait à cache-cache avec les autres près des caves.

Les policiers, qui sont intervenus aussitôt la disparition signalée, écoutent attentivement Jean, puis le suivent à la trace, inspectant chaque recoin où le petit frère a l'habitude de se dissimuler. Une heure s'écoule. Rien. Dehors, la neige s'amplifie.

La police tente de tranquilliser les parents de Serge et demande aux curieux de rentrer chez eux. Ils poursuivent leur recherche hors de l'immeuble, dans les rues avoisinantes.

La fête est finie. Le père Noël ne passera pas. Les grands ont la gueule de bois, les petits le spleen d'un réveillon sans jouet. Les adultes de la famille de Gaston repartent déjà, leurs enfants sous le bras, le ventre vide.

Jean tend les paquets de cigarettes à sa mère et monte se blottir contre le canapé de l'appartement déserté. Pour disparaître à jamais. Lui aussi.

Après plusieurs minutes passées à se morfondre et à culpabiliser, il décide de réfléchir, encore, à l'endroit où pourrait être caché son petit frère. Il se poste à la fenêtre, regarde les flocons tomber, puis décide de ressortir. Il sera plus utile dehors que dedans. Marie et Gaston ne le voient pas se faufiler derrière eux pour arpenter les rues, qu'il a l'habitude de fréquenter avec son petit frère.

Il vérifie chez le premier vendeur de tabac, chez le second, au bistrot du bout de la rue, se rend même à la droguerie – tous fermés. Il s'éloigne de plus en plus, ses souliers laissant des traces dans la neige fraîche. Il continue tout droit quand il remarque alors d'autres empreintes faites par de plus petites chaussures qui tournent sur la gauche. La rue est déserte autour de lui. Jean décide de suivre cette piste, avant que les marques ne disparaissent. Il se rapproche alors d'un lieu qu'il reconnaîtrait entre mille. Le cinéma. « Leur » cinéma.

Lorsqu'il repère un bâton bloquant la porte de sortie, il sait qu'il brûle. Il s'engouffre dans la salle, laissant la tempête de neige derrière lui, et découvre au premier rang un visage familier. Il n'a jamais été aussi heureux de voir son petit frère. D'un large sourire, le petit fugueur l'invite à s'asseoir à côté de lui.

— Mais qu'est-ce que tu fais là, Serge ? Tout le monde te cherche partout ! On a eu très peur, tu sais.

Le petit garçon pointe du doigt l'écran, en répétant : *Z'an !* Sur la toile, un ours brun tient un arc et une flèche. Le grand frère reconnaît le dessin animé que tous les enfants attendaient depuis des mois et que les salles parisiennes diffusent en avant-première. *Robin des bois*, et son célèbre compère attachant : Petit Jean. Serge vient de prononcer son premier mot… Le premier d'une longue série.

Lorsque Marie voit ses deux fils remonter la rue, main dans la main, la neige vient de cesser. Elle fonce sur eux et les couvre de baisers. Elle était doublement inquiète. Elle ne savait que penser de la disparition de Jean : était-il parti à la recherche de Serge ou avait-il fugué ?

Jean informe les policiers, qui les ont rejoints : il a retrouvé son frère dans la salle de cinéma où ils rêvaient d'aller ensemble. C'était leur demande au Père Noël. Il s'abstient juste de leur dire que le film de la salle d'à côté était *L'Exorciste*. Les agents repartent, après avoir sommé Marie de mieux surveiller ses enfants.

Que peut-elle répondre ?

Une fois ses fils couchés, même si elle s'est calmée et que sa frayeur est passée, Marie peine à trouver le sommeil. Elle se relève, vérifie que le petit bout dort, puis se rend au salon pour veiller sur Jean. Elle le trouve en sanglots. Elle s'assoit à côté de lui et lui caresse les cheveux :

— Mais qu'est-ce qui se passe, mon beau ?

— Je suis malheureux, Maman.

— À ce point ? Je m'excuse, Jean, pour ce soir, je me suis emportée, j'ai eu tort, mais j'ai eu très peur aussi. Il aurait pu se passer quelque chose de grave.

— Je suis d'accord, cela aurait pu mal finir, mais ce n'est quand même pas de ma faute. Si ? Pourquoi c'est tout le temps à moi de m'occuper de tout ? Dans tes lettres, tu m'as promis une belle vie si j'acceptais de revenir habiter avec toi : *on irait au parc ensemble, aux monuments, au cinéma*, et pas une fois tu n'as tenu une de tes promesses.

— Je fais de mon mieux, Jean, mais je ne t'ai jamais rien juré de tel, dans aucune de mes cartes ! Maintenant, tu peux me demander tout ce que tu veux, je ne suis pas un bourreau. On peut aller voir un film, un dimanche, quand je suis de repos. J'ai bien compris, ce soir, que vous en rêviez avec Serge. Moi aussi, j'ai envie que l'on passe plus de temps ensemble, avec Serge et Gaston. On est une famille, maintenant. Ta famille.

Jean laisse échapper une larme de plus. Il vient de comprendre des années de mensonges. Toutes ces lettres qu'il a conservées dans sa valise blanche : aucune n'était d'elle. Sa mère l'avait oublié. Il se retourne pour lui échapper. Il ne peut pas la regarder. Marie pose un baiser sur sa joue et va se recoucher.

Des Noëls comme ça, il n'en souhaite à personne !

66

À potron-minet

Jean a bien réfléchi. Il ne peut plus continuer ainsi. Sa mère ne mérite pas qu'il sacrifie son bonheur. Il a pris sa décision, séché les cours pour se rendre jusqu'au centre de Paris et préparer son coup. Il laisse passer quelques jours après la reprise des classes en janvier et se décide à agir le mardi suivant. Marie et Gaston vont bien voir de quel bois il se chauffe.

Quand il part ce matin-là de Boulogne, sa mère est déjà levée, a déposé Serge chez Mme Martinez, et Gaston cuve encore le vin de la veille. Personne ne le voit emprunter le chemin inverse à celui de l'école. Personne ne remarque la valise blanche à autocollants qu'il tient fermement dans sa main. Personne ne l'arrêtera dans sa détermination de prendre le train de 11 h 50 au départ de la gare Montparnasse pour Granville. Jean a pensé à tout : il a volontairement laissé plein d'affaires derrière lui pour brouiller les pistes.

Son billet dans la poche, il se retourne une dernière fois et se dit que rien, dans la supposée plus belle ville du monde, ne lui manquera.

Il monte dans le bus pour Paris et calcule le temps de parcours : il devrait être chez Mémé Lucette vers 17 heures. Elle sera surprise de le voir, c'est sûr. Il est prêt à parier qu'il lui manque, au moins un peu, même si les lettres qu'elle lui a envoyées étaient plutôt distantes. La sonnerie du véhicule indique la fermeture imminente des portes, lorsque, tout à coup, Jean en redescend et court, accélérant toujours plus. En sens inverse. Il ne peut pas partir comme ça. Il a oublié quelque chose auquel il tient, finalement.

67

Comme au bon vieux temps

Il fait déjà nuit, à 18 heures, lorsque Jean rejoint le quartier Saint-Nicolas, à Granville. Le garçon sonne à la porte de Mémé Lucette, plein d'appréhension. Lorsque la vieille dame ouvre et découvre Jean, la gifle part toute seule. Si Mémé était aussi vaillante qu'autrefois, il aurait eu la joue en feu. Là, c'est seulement son ego qui en a pris un coup. Elle l'avait prévenu : « Ta place est auprès de ta mère, et si tu désobéis, cela se passera mal pour toi. »

Aussitôt, la grand-mère regrette son geste et enlace ce petit bonhomme qui lui a tant manqué. Ils restent ainsi de très longues secondes, qui leur paraissent une éternité. C'est la première fois que les actes de Mémé dépassent sa pensée.

La dernière aussi. Elle redevient tendre comme un chamallow.

La grand-mère manque toutefois de tomber à la renverse quand le jeune garçon s'écarte et laisse apparaître sur le palier un petit bonhomme haut comme trois pommes du Calvados, qui suce son pouce. Serge.

Jean n'a pas voulu laisser son petit frère derrière lui. Que lui serait-il arrivé après 16 h 30, s'il n'était plus là pour aller le chercher ? Que lui serait-il arrivé tout court, sans personne pour se préoccuper de son sort ?

Mémé Lucette fait entrer les deux enfants et les assoit autour de la table de la cuisine. Elle leur donne un grand verre de lait, en fouillant dans son frigidaire à la recherche d'un petit en-cas à grignoter.

Lucette veut savoir ce qui s'est passé. Pourquoi Jean a-t-il fugué ? Comment a-t-il pu payer les billets de train ? Pourquoi a-t-il aussi emmené Serge dans ses bagages ?

Quand Jean lui raconte ses quatre mois passés à Paris, ses courses pour acheter les cigarettes, les économies qu'il amasse, les disputes avec Marie, ses absences, surtout, Lucette préfère se taire. Est-ce normal ou non ? Sa fille aurait-elle dû agir autrement ? Sûrement. Mais qui est-elle pour juger ? Ne fait-elle pas sincèrement de son mieux ? En tout cas, pour son petit-fils, cela reste insuffisant.

Jean est à nouveau très en colère contre sa mère, toujours absente, qui ne le considère plus comme un enfant, mais comme un adulte sur qui elle compte pour alléger son fardeau. Jean ne peut pas porter cette responsabilité sur ses épaules. Il a 11 ans et veut profiter encore de ces quelques années d'insouciance auxquelles il a droit. Peut-être.

Les deux frères sont rassasiés. Lucette leur demande de se rapprocher et leur explique.

— Je suis obligée d'avertir Marie. Sinon, elle va s'inquiéter.

— Tu parles, elle ne s'est même pas encore rendu compte de notre absence, je parie. Elle doit encore être à son travail à l'heure qu'il est. Comme toujours…

— Ne sois pas mauvaise langue et reste tranquille pendant que je passe l'appel.

De ses grands yeux ronds, Serge observe son frère qui serre les poings et soupire. Jean ne retournera pas là-bas, quoi que cela lui en coûte. Il fait une dernière tentative :

— Mémé, s'il te plaît, non. Ne lui dis pas, sinon elle va vouloir nous reprendre.

— Mais, Jean, c'est normal qu'une mère vive avec ses enfants. Vous ne pouvez pas rester ici.

— Serge pourrait s'installer sur mon matelas, il ne prend pas tant de place que ça. On ferait comme avant. Comme au bon vieux temps, Mémé Lucette.

Quand Jean dit « Mémé Lucette », elle sait que, si elle répond « non », cela brisera le cœur du petit. Pourtant, elle n'a pas le choix.

— Jean, je suis désolée. C'est ainsi. J'appelle Marie : elle doit venir vous chercher. Je peux éventuellement vous garder quelques jours, mais c'est tout.

— Mais pourquoi, Mémé ? Je suis si triste loin de toi.

— Je suis trop vieille maintenant. J'ai déjà du mal à m'occuper de moi, alors avoir la responsabilité de deux enfants, ce ne serait pas raisonnable. Je ne peux plus. Pour les vacances de la Toussaint, j'étais clouée au lit avec une vilaine fièvre. J'attrape tout ce qui traîne en ce moment. Comment prendre soin de vous si je suis malade ?

Lucette saisit le téléphone et compose le numéro de la brasserie dans laquelle travaille Marie. Après une longue attente, elle finit par avoir sa fille au bout du fil.

Jean écoute avec le petit combiné :

— Qu'est-ce que tu dis, Maman ? Mais pas du tout, voyons ! Ce n'est pas possible ! Jean est à l'école, et Serge chez Mme Martinez.

— Marie, je te dis la vérité. Je suis loin de perdre la boule, tu sais. Je te les garde le temps qu'il faudra, mais…

— Non, non, je pars tout de suite. Je repasse à la maison prévenir Gaston et je prends le premier train.

— Tu n'en auras plus aujourd'hui. Rentre calmement, ils sont sains et saufs, et viens demain dans la journée. Allez, je t'embrasse, Marie.

La vieille dame raccroche, sans laisser le temps à sa fille de poser plus de questions. Quand elle se tourne vers les enfants, ils comprennent au quart de tour.

— Merci Mémé pour la nuit ! On s'occupe de tout. Je vais faire notre lit et préparer ton dîner. Ça te dit, des croque-monsieur ?

68

Bon pied, bon œil

Le lendemain, Jean veut emmener Serge voir la mer. Mais comme Lucette a trop peur qu'ils s'échappent à nouveau, c'est tranquillement installés dans le salon qu'ils attendent leur mère. Mémé passe ses nerfs sur son tricot.

Lorsque Marie arrive à l'appartement, après une nuit blanche et près de cinq heures de train, elle a une toute petite mine : son teint est cireux et elle transpire. Elle observe Lucette et se fait la remarque que sa mère a pris un sacré coup de vieux : ses cheveux sont devenus blancs, elle s'est tassée, et ses quintes de toux sont interminables. La grand-mère semble fragile dans ses vêtements devenus trop grands.

Si Serge se jette contre les jambes de sa mère, Jean reste à distance. Il n'a pas envie de la saluer, malgré la pichenette que lui assène sa grand-mère. Lucette prend un siège, elle ne peut pas rester debout longtemps, et invite Marie à en faire autant. La jeune femme demande plutôt à s'isoler : elle aimerait parler à son aîné, en tête-à-tête.

Dans la chambre, Jean a le regard fuyant. Il ne veut pas écouter les excuses de sa mère, qui ne l'aura pas avec sa mine de chien battu. Il ne retournera pas avec elle à Paris. Point.

Marie rassemble toutes ses forces, qu'elle semble avoir perdues durant le voyage, et s'assoit à côté de lui, sur le lit de Lucette.

— Pourquoi tu as fait ça, Jean ? C'est dangereux, il aurait pu t'arriver n'importe quoi.

Jean se tait. Marie continue.

— Et tu as mis ton petit frère en péril inutilement.

Jean sort de ses gonds.

— Sincèrement, je pense qu'il est plus en danger avec Gaston ou Mme Martinez, puisque tu n'es jamais là, qu'avec moi. Je ne lui ai pas lâché la main un instant. Et il a confiance en moi. On se comprend.

— Tu crois que, moi, je ne te comprends pas ? C'est ça ? Mais je sais bien ce que tu ressens, tu m'as dit que tu étais malheureux. Tu crois que cela fait plaisir à une mère d'entendre ça ? La nuit, je n'arrive plus à dormir, tes mots résonnent : « Je suis malheureux, Maman. » Ça m'a fendu le cœur, Jean. Fendu !

La voix de Marie s'éraille, Jean éclaircit la sienne, avec froideur :

— Pourquoi tu ne m'as pas écrit une lettre en cinq ans ? Pourquoi seulement deux cartes, toujours adressées à Lucette ? Tu voulais m'oublier ? Vivre sans moi ?

— J'avais honte, Jean. Ma vie est un naufrage, je ne voulais pas que tu sombres avec moi. Et puis, j'ai toujours pensé que tu étais entre de bonnes mains avec Mémé Lucette, peut-être même meilleures que les miennes. La vérité, c'est qu'il ne s'est pas passé un jour sans que je pense à toi. Pas un. Après, crois-moi ou pas, mais c'est la vérité. Si j'avais voulu t'abandonner, je ne serais jamais revenue. Je vais te dire quelque chose, Jean. J'ai voulu te reprendre, pas pour te faire du mal, mais parce que je suis persuadée que l'on peut retrouver le bonheur tous les deux, comme avant. J'ai peut-être sous-estimé les choses, pensé que cela se ferait plus rapidement, mais je ne désespère pas de reconquérir ton amour, Jean. Je le vois bien que, parfois, tu me détestes. Et ça me tue ! dit-elle d'une voix tremblante. Moi, je t'aime.

Jean détourne la tête, il ne peut pas la regarder en face : ses yeux s'embuent déjà. Marie lui prend la main et l'embrasse tendrement.

— Tu sais, ce n'est pas évident pour moi. Quand on est une femme, on nous autorise soit le rôle d'épouse pondeuse, soit celui de femme légère, égoïste. Tout n'est pas blanc ou noir, Jean, jamais. J'espère que tout cela changera. Pour moi, c'est trop tard, mais il y a une chance pour que les choses soient différentes pour ta fille, si tu en as une un jour. Je souhaite qu'elle soit libre. De ses choix, de son corps. Libre de vivre ses rêves. Je ne te demande pas de me pardonner, mais peut-être qu'un jour tu me comprendras.

Jean est sonné. Que peut-il lui répondre ? Aucun mot ne sort, il ne sait plus que penser, quoi lui dire. Bien sûr qu'il l'aime, mais est-ce normal d'en souffrir autant ?

Quand il lui jette un coup d'œil, Marie est grise. Figée. Elle dégringole soudain du lit. Jean essaie de la relever, mais elle a perdu connaissance : sa peau est devenue toute cireuse.

Le jeune garçon hurle, court vers Lucette qui appelle aussitôt les pompiers. À leur arrivée, Marie n'a pas recouvré ses esprits et ils l'emmènent, toutes sirènes hurlantes.

69

Ne pas avoir l'embarras du choix

Lucien est venu prêter main-forte : il est resté auprès des enfants alors que Lucette a passé la nuit à l'hôpital. Jean a mal dormi, il a beaucoup repensé à ce que sa mère lui a dit, mais il n'est pas encore prêt à pardonner. Il lui faudra du temps. Pour le moment, il ne croit pas à son numéro de femme éplorée qui s'effondre quand les choses ne se présentent pas comme elle le souhaite. Il a prié le petit Jésus pour qu'elle se remette, mais pas trop vite, qu'ils puissent rester chez sa grand-mère. Longtemps.

Lorsqu'elle rentre, Lucette semble abattu Ses jambes ne la portent plus, et Lucien la pr par le bras pour l'installer dans son fa Serge, imperturbable, joue aux petites dans un coin. Jean s'approche d'eux pour s'enquérir des dernières nouvelles.

— Ta mère est toujours en soins intensifs. Elle veut te voir, annonce Lucette.

— Je ne veux pas y aller, répond-il.

Lucien et Mémé Lucette échangent un regard inquiet.

— Cela peut être très grave, tu sais.

— C'est trop tard. Tout est de sa faute. Je l'ai réclamée, moi. Elle n'est jamais venue. Pourquoi irais-je quand elle le décide ?

Mémé Lucette se baisse, prend sa main, puis lui demande doucement :

— Tu sais ce que c'est qu'une septicémie ?

— Non, mais ça ne m'intéresse pas.

— C'est ce qu'a ta Maman.

— Ma mère.

Lucette déglutit. Elle prend de plein fouet la rancœur de cet enfant pour celle qui lui a donné la vie. Elle la ressent viscéralement, comme si cette haine lui était adressée, comme si le lien mère-fille était toujours logé dans son ventre.

— Ta mère se bat de toutes ses forces contre une méchante bactérie qui s'est emparée de son corps.

— Et pourquoi elle a ça ?

— Parce qu'elle a voulu rester libre.

4

Lucien pose la main sur l'épaule de Lucette, qui laisse échapper une larme. Elle n'en dira pas plus à Jean et lui tourne le dos pour cacher sa peine. Sa peur aussi, car ce genre d'histoires finit mal en général. Une histoire banale, comme dans toutes les familles qu'elles connaissent. Les femmes, surtout. Un secret de Polichinelle.

Jean ne comprend pas. Pourquoi en faire tout un fromage : des crampes de ventre, des nausées, il avait cela tous les matins avant d'aller à l'école. Ça se voyait qu'aucun des deux n'avait jamais été gaucher.

Lucien ira voir Marie. Même si cela doit être sans Jean à ses côtés. Il lui apportera une lettre du petit. Et une part de tarte. Les gâteaux ont toujours apaisé les tristesses, à défaut de les soigner.

Mémé Lucette et Lucien vont préparer un café dans la cuisine et, une fois isolés, continuent :

— Et la pilule ? Pourquoi elle ne l'a pas prise ?

— Son médecin a été très clair avec elle : pilule ou cigarettes. Et tu la connais : on ne lui prendra pas sa liberté de fumer. Alors elle a trouvé quelqu'un pour l'aider. Mais ils ont fait ça dans des conditions… Ce n'était pas sa première fois, mais, là, la grossesse était vraiment trop avancée.

— Et personne n'a voulu s'occuper d'elle ? continue Lucien.

— Combien de filles doit-on risquer de perdre encore avant qu'elles aient enfin le droit de choisir leur vie ? demande Lucette en levant les yeux vers le ciel.

La situation est révoltante. Tous deux savent comment les femmes qui cherchent des solutions par elles-mêmes, clandestinement, sont peu respectées par nombre de médecins, ce qui ajoute de la douleur inutile à leur honte. Comme si la culpabilité ne suffisait pas. Comme si porter seule le poids si lourd d'un être si léger dans ses entrailles n'était pas en soi déjà une punition, quand l'enfant n'est pas désiré. L'acte se fait au pluriel, mais les conséquences sont toujours au singulier. Et au féminin.

70

Quelle tristesse !

Marie n'a pas tenu le choc. Elle avait 32 ans et des rêves plein la tête. Sa liberté, elle l'aurait eue, peut-être, un an plus tard, lorsqu'en janvier 1975 l'avortement légalisé donne une chance à toutes celles qui, jusqu'à présent, n'avaient pas le choix.

Les funérailles se tiennent rapidement, en comité restreint, en ce mois de janvier 1974. Aucun des frères de la jeune défunte n'est là. Même Tante Françoise n'a pas pu y assister, prévenue trop tard vu la distance. Gaston a tout juste eu le temps de prendre le train pour Granville. Marie va retrouver le seul homme qui l'ait vraiment aimée. Son père. Désormais réunis pour l'éternité.

Pour la première fois, Mémé Lucette a insisté pour que Jean ne vienne pas au cimetière. Il ne comprendrait pas. Il reste avec Serge, qui parle de mieux en mieux, mais n'a, en ce moment, qu'un mot à la bouche : Maman.

En plus de son immense tristesse, Jean culpabilise. C'est de sa faute si Marie n'est plus là : le petit Jésus fait tout ce qu'il lui demande, depuis toujours. Et il ne voulait, pour rien au monde, retourner à Paris avec sa mère.

Voyant son grand frère préoccupé, Serge demande :

— Maison ?

Le petit a raison. Où vont-ils aller à présent ? Que va-t-il devenir ? Et Serge ? Sa grand-mère a été très claire : elle est trop âgée pour s'occuper de lui. Alors qui ? Gaston ?

Jean voit bien qu'il doit se montrer plus fort qu'il ne l'est, il doit montrer qu'il n'est pas inquiet pour leur avenir. Ils sont maintenant liés. À la vie, à la mort.

— On va trouver, ne t'inquiète pas.

Jean lui prend la main.

— Ensemble, rien ne pourra nous arriver. Je serai toujours avec toi.

Résonnent alors les mots d'Anita. Elle et sa sœur avaient été séparées à la disparition de leur mère. Jean se fait une promesse : il ne laissera pas un tel sort leur arriver. Il ne lâchera pas son petit frère. Jamais.

71

Filer à l'anglaise

Lorsque Lucette rentre de l'enterrement avec Gaston sur les talons, bagage à la main, Jean les observe par la fenêtre. Il s'en veut : il aurait dû s'enfuir. Hors de question qu'il retourne avec son beau-père à Paris. Jamais plus.

Avec son frère dans une main et sa valise blanche dans l'autre, il descend les marches en silence. Il connaît Granville comme sa poche. Dans la citadelle, ils trouveront bien un endroit où passer la nuit, à l'abri du froid hivernal.

Arrivés au rez-de-chaussée, ils se cachent dans la cage d'escalier pour ne pas tomber nez à nez avec Gaston et leur grand-mère. Jean entrouvre la porte pour écouter la conversation. Il distingue le visage abattu de son beau-père, creusé par le chagrin.

— Je ne sais pas quoi faire, mais je ne peux pas faire ça, lâche Gaston en s'arrêtant net, au lieu de monter dans l'ascenseur aux côtés de Lucette.

La vieille dame, compatissante, pose une main sur l'épaule de Gaston. Le beau-père soupire et continue.

— La vérité, c'est que je ne vois pas comment je vais arriver à m'occuper d'eux, alors que je ne sais déjà pas quoi faire de moi. Vais-je seulement aller mieux un jour ? Maintenant que Marie n'est plus là…

Lucette sent venir les choses grosses comme une maison.

— Je vois, mais comprenez aussi que, de mon côté, je ne peux pas reprendre Jean pour l'abandonner à nouveau. Il en mourrait, et moi aussi. Par ailleurs, je ne pense pas que ce soit une bonne chose pour les deux frères d'être séparés, maintenant qu'ils ont la chance de s'avoir.

Lucette inspire profondément et lâche d'un trait une phrase qu'elle s'était promis de ne jamais prononcer :

— Je vais vous proposer un marché, une fois. Il est valable maintenant, et si vous acceptez, c'est pour toujours.

— C'est-à-dire ?

320

— Je peux prendre Jean et Serge chez moi, mais si je les garde, c'est définitif, et ensemble. Pas de changement d'avis, pas de séparation des petits alors qu'ils se seront attachés l'un à l'autre. Si vous me les confiez, je m'en occuperai le temps que Dieu voudra encore m'accorder.

Gaston n'ose pas répondre. Il a l'impression de condamner Serge. Mais, sans Marie, il ne se sent plus la force de rien. De son regard honteux, il accepte. Pour toujours. Jusqu'à ce que Dieu s'en mêle, donc.

Le beau-père recule, comme pour repartir. C'est sans compter sur Lucette, qui le retient. Jean, lui, reste derrière la porte et guette la suite.

— Montez. C'est mieux pour eux si vous leur dites « À bientôt », surtout pour Serge. Il ne comprendra pas, sinon.

— Je ne suis pas certain, Lucette. C'est trop cruel. Venir les embrasser, puis leur tourner le dos. Alors qu'ils viennent de perdre leur mère !

— Faites-le ! Vous serez en paix avec vous-même. Dites-vous que ce n'est qu'un au revoir. Vous êtes le bienvenu pour passer leur rendre visite.

— Mais cela me paraît fou de vous imposer ça ! Je me sens si lâche. Puis-je au moins vous aider financièrement ? Ce n'est pas rien, deux bouches de plus à nourrir.

— On en reparlera, Gaston. Allez, montons, dit Lucette en appuyant sur le bouton de l'ascenseur.

Jean comprend soudain que Lucette et Gaston vont arriver bien avant eux au deuxième étage, s'ils ne se dépêchent pas. Il attrape son frère, le serre fort contre lui, grimpe les marches, quatre à quatre, et se rue sur la porte laissée entrouverte. C'était moins une !

Quand Gaston entre, suivi par sa grand-mère, Serge se jette aussitôt dans les bras de son père et gazouille :

— Papa !

Gaston pose le petit garçon et ouvre ses bras pour accueillir Jean :

— Mon grand, je vais retourner à Paris un bon moment. Avec ce qui s'est passé, je ne sais plus où j'en suis, ajoute-t-il en murmurant. Vous allez rester ici avec votre grand-mère. Tous les deux. Ce sera votre nouveau chez-vous. Vous irez à l'école ici. Même toi, Serge.

— Ensemble ? Serge et moi ? Mais tu vas revenir nous chercher un jour ou c'est… interroge Jean, d'un regard inquiet sa grand-mère.

— Pour toute la vie, Jean. Toute la vie.

72

Roulez jeunesse !

Jean retrouve facilement ses marques quand il emménage avec Serge chez sa grand-mère. Désormais, c'est Lucette qui accompagne Jean chez les commerçants. Il la soutient par le bras, de l'autre, elle s'agrippe à sa canne. Jean est devenu fort et dépasse sa grand-mère d'une bonne demi-tête. Derrière eux, Serge traîne la patte et le sac à provisions.

Alors qu'ils parcourent les différentes boutiques, Lucette reste assise sur un banc, mais elle tient à faire sa promenade quotidienne. C'est le docteur qui a insisté, pour renforcer son dos, il a dit, car il a été bien fatigué par le poids des ans et celui des bébés qu'elle a portés.

Jean saisit alors la main de Serge, et ensemble ils font les courses. Le petit bonhomme ne peut s'empêcher de demander à Jean :

— Pourquoi on mange tous les jours la même chose ? Et pourquoi on ne prend qu'une tranche de viande alors qu'on est trois ?

Ils ne roulent pas sur l'or, mais l'argent que Gaston envoie à Lucette met du beurre dans les épinards. Jean délaisse sa part au profit du petit, mais force sa grand-mère à reprendre toujours une cuillerée de plus.

Ils sont heureux tous les trois. Jean est comblé, comme il ne l'a peut-être jamais été de toute sa vie, Serge aussi. Ils sont au bon endroit, au bon moment. Aimés, ils ne manquent de rien.

Serge et Jean partagent leur matelas, les cadeaux Bonux ou ceux des Bergères de France. Jean raconte les bandes dessinées qu'il emprunte à la bibliothèque en pointant du doigt chaque vignette, en faisait des bruits d'animaux que Serge répète fièrement.

Mémé Lucette continue de tricoter pour Jean. Serge hérite des chandails de son grand frère. La mode a changé, mais personne ne s'en offusque. Ils ont été faits avec amour et ils tiennent chaud : que demander de plus !

Si Lucette fatigue en montant ses mailles, c'est Jean qui prend le relais : après tout, ce jacquard est pour lui. Dès que la vieille dame ferme un œil, il change d'ouvrage : cette écharpe est une surprise pour Mémé Lucette. Comme sa voix fout le camp, de plus en plus souvent, il lui faut un vêtement chaud pour couvrir sa gorge. Mémé Lucette trouve que le jeune homme n'est pas un rapide, mais ne s'en préoccupe pas. Tant qu'il continue à briller au collège, il peut bien tout détricoter, elle s'en contrefiche.

Jean est enfin entré en sixième. Il n'est pas dans la classe d'Anita, qui est en cinquième, mais il retrouve ses copains d'avant, Thierry et Achille. Jamais il n'aurait un jour imaginé pouvoir à nouveau profiter de leur compagnie. Après la classe, avec Anita, ils vont chercher Serge à l'école maternelle et, ensemble, ils forment le Club des Cinq, personne ne se dévouant pour être Dagobert, le chien.

Anita a beaucoup changé avec les années. Ses dents trop grandes ont disparu. Ses yeux captent toute l'attention désormais. Elle tient plus de la biche que du lapin à présent. La jeune fille a décidé d'arrêter l'école. Elle a 13 ans et, à la fin de l'année, elle souhaite commencer un apprentissage. Elle se verrait bien speakerine ou secrétaire. Après vérification,

« péripatéticienne » n'a pas été une option qu'elle a retenue.

Quand, un jour, un des loubards de l'école la suit à motocyclette sur le chemin du retour, Jean accélère le pas et lui attrape le bras, faisant fuir le jeune homme vêtu de cuir.

— Mais tu es folle de le laisser t'approcher. Il a au moins 22 ans. Tu sais ce qu'il a en tête à ton sujet ?

— Et toi, tu as quoi en tête à mon sujet ? lui lâche-t-elle d'un regard désespéré.

Jean n'est pas sûr de bien comprendre la question, ni même de savoir quoi répondre. Elle est comme une sœur pour lui et il n'autorisera personne à lui faire du mal, ni à l'enfermer dans une vie qu'elle ne souhaite pas. Elle ne sera pas une Marie bis.

Alors, lorsque Thierry, qui est devenu beau comme Marlon Brando en plus d'être fort comme Clint Eastwood, demande à Jean la permission d'inviter Anita au cinéma, Jean ne peut s'empêcher d'être à la fois surpris (la permission de quoi ?), en colère et triste. Encore une fois, il ne sait que répondre. Après tout, pourquoi son meilleur ami ne pourrait-il pas être heureux avec sa meilleure amie ?

Il les observe rentrer ensemble le soir après l'école. Thierry la raccompagne de plus en plus souvent, ils rient en chemin, se prennent timidement la main. Quelque chose se brise alors dans leur Club.

Serge, du haut de ses trois ans et demi bien sonnés, demande à Jean pourquoi il préfère être amoureux en secret. Jean ne comprend pas. Serge lui fait remarquer que lui a deux amoureuses, Corinne et Brigitte, et qu'il est très heureux. D'ailleurs, lorsque le petit Jérôme a essayé de lui chiper une des deux, Serge n'a eu qu'à le traiter de « Bébé Cadum » et il est passé pour le gros dur de l'école auprès des deux fillettes. Alors, dans la cour des maternelles, il est drôlement respecté. Personne ne lui pique ses calots.

Les week-ends, ils sont indépendants. Ils laissent Mémé tranquille et partent en vadrouille : un coup à la plage, une autre fois au potager. Jean lui organise des interrogations surprises :

— Montre-moi les carottes ? Et maintenant l'estragon ?

Le petit garçon se débrouille bien mieux que lui. Ce doit être dans l'ordre des choses que de se faire dépasser par les plus jeunes. Même quand ils s'adonnent à une course de carabes, Serge a la chance de toujours miser sur le bon cheval, façon de parler. Quand la pluie est trop violente, ils s'enferment dans les salles de cinéma, dévorent des films que personne avant eux n'a vus, un monde qui échappe totalement à la génération précédente, sans parler de celle de Lucette, qui ne jure que par Charlot.

Une fois rentrés chez Mémé, ils observent les gouttes de pluie s'écouler le long de la vitre pendant des heures, comme absorbés. Ensemble, ils se suffisent. Comme sa grand-mère n'y voit plus très clair, Jean la décharge du mieux qu'il peut : il prépare les repas, fait la lecture et répond au courrier. L'écriture du garçon est bien plus lisible que le fin trait que Lucette laisse filer de la plume.

Achille et Serge sont devenus très copains malgré la différence d'âge. Leur amour des bêtes les rassemble. Jean ne sait plus bien, lui, qui est son meilleur ami. Depuis que c'est du sérieux entre Thierry et Anita, il n'a pas grand monde autour de lui. Il rend souvent visite à Pépé Marcel, à Gabriel et à sa mère.

Là-bas, il retrouve Lucien, qui a pris autant d'âge que d'embonpoint. Il est tombé de sa bicyclette un jour qu'il avait levé le coude trop haut chez Mémé Lucette, et sa hanche en a pris un coup : fracture du col du fémur. Il a jonglé, mais, aujourd'hui, il s'en est accommodé, sauf les jours humides. C'est son vélo qui fait la tête, car le facteur préfère désormais le triage au cyclisme.

Lorsque Lucette et Lucien se baladent le long de la mer, bras dessus bras dessous, ils ont une hanche pour deux, une canne de chaque côté : cela fait marrer les mouettes, mais les compères se laissent pousser par le vent et admirent l'éternité devant eux.

Jean a toujours été patient. Avec sa mère, qu'il a attendue des années, avec son père qui n'est jamais revenu, et, à présent, avec son petit frère qui l'assomme de questions toutes plus farfelues les unes que les autres. À chaque nouvelle requête de Serge, alors qu'il soupire d'agacement et lève les yeux au ciel, il voit bien, du coin de l'œil, que Mémé Lucette sourit comme la Joconde : mais, là non plus, il ne saurait dire pourquoi. Comme un air de déjà-vu, peut-être.

Aux interrogations de Serge, il invente des réponses toujours plus loufoques.

— Les gens au cinéma, ils meurent pour de vrai ?

— Bien sûr, comment crois-tu qu'ils font, sinon ? Ils organisent une audition dans laquelle ils convoquent toutes les personnes volontaires pour y passer…

— Un peu comme à la guerre ?

— Oui, si tu veux. Bref, ceux qui sont les plus motivés et les plus compétents sont retenus pour le film. Ils ont la pression : ils n'ont droit qu'à une seule prise !

Serge a l'air satisfait de la réponse. Jusqu'à ce que sa créativité débordante trouve une autre idée qui le turlupine.

— Et pourquoi…

— Chut ! Mémé dort. Allumons plutôt la télévision.

La haute technologie est enfin entrée chez Mémé Lucette. Après le téléphone, dont la vieille dame, trop sourde, ne se sert plus – et qui sonne malheureusement uniquement pour annoncer le décès de ses amies –, Lucien a dégoté pour eux un téléviseur couleur, s'il vous plaît. Mémé n'en veut pas, mais Serge insiste tellement que la grand-mère cède.

Quand Serge se prend de passion pour *Bonne nuit les petits*, c'est Mémé Lucette qui ronfle la première. Jean somnole et son frère remue le popotin en rythme devant le poste. Il a la danse dans le sang, ce petit. C'est peut-être lui, saint Guy !

Pas une fois le téléphone noir de Lucette ne sonnera pour annoncer le retour de Gaston, même le temps d'un week-end. Mémé Lucette échange des lettres avec lui, pour savoir s'il va mieux. S'il reprend quelque peu du poil de la bête, cela ne semble pas être la grande forme. Elle ne le force donc pas. Sa porte lui est ouverte, et il le sait. Les enfants, eux, n'y pensent pas souvent. Une chance encore que Serge et Jean aient, en plus des culottes, la mémoire courte !

73

Quand on n'a pas de tête, on a des jambes

À chaque fois que les garçons retrouvent leur grand-mère, c'est à présent Lucette qui les harcèle de questions :

— Jean, saurais-tu où se trouve mon chandail ? Il fait frisquet, non ?

— Serge, tu veux ma part de tarte ? Je n'ai plus faim.

— Jean, as-tu bien payé la facture du téléphone ? Il ne sonne plus beaucoup en ce moment. Je me demande s'il fonctionne encore ?

— Serge, peux-tu retourner le 33-tours ? *La Traviata* s'est arrêtée !

— Jean, tu aurais l'amabilité de m'apporter mon roman et de m'en lire un chapitre ? On n'y voit rien ici. Tiens, branche la lampe.

— Elle est allumée, Mémé.

Dans son grand fauteuil, elle ne bouge plus d'un iota. Alors que la grand-mère a toujours martelé à Jean « Quand on n'a pas de tête, on a des jambes », c'est désormais Jean qui devient les siennes, puisque la tête de Lucette lui joue quelques tours.

— On en était où dans l'histoire ? demande Jean.

— Sharon allait déclarer sa flamme à Adam.

Mémé Lucette ne perd pas la boule pour tout.

Si la vieille dame a toujours été une petite dormeuse, à présent, chaque matin, Jean retient son souffle en poussant la porte de la chambre de sa grand-mère, avant de préparer le petit déjeuner.

Parfois, il doit rester des dizaines de secondes à scruter ses paupières avant de se rassurer. D'autres fois, il passe carrément sa main entre la bouche et le nez de Lucette pour sentir ce mince filet d'air qui raccroche Mémé à la vie.

Ouf, c'est bon !

Jean est content que Lucien vienne chaque jour leur rendre visite : le facteur a le don pour dédramatiser la situation et faire glousser Lucette. Jean n'a jamais vu sa grand-mère si hilare !

Il rapporte des nez rouges, des déguisements, et en affuble Lucette quand elle s'assoupit un instant. Puis, à peine sort-elle de sa sieste improvisée, qu'il lui tend un miroir bien près : Mémé Lucette rigole comme une folle. Pour le plus grand plaisir de Serge, qui rit avec elle à gorge déployée.

Si elle confond de plus en plus les prénoms, Jean sait qu'elle s'adresse finalement quasiment toujours à lui. Il ne s'offusque donc pas d'être appelé trois fois sur quatre Serge, Lucien ou Marcel. Il aime se sentir utile.

Les promenades qu'ils font chaque jour sont plus courtes. Si les commerçants n'ont plus la chance de voir Lucette, ils continuent de s'enquérir de ses nouvelles. Ce sont les mouettes du square qui connaissent chacune des habitudes de la vieille dame sur son banc : elles attendent qu'elle ait englouti son croissant au beurre et viennent s'acoquiner en dandinant du postérieur jusqu'à ses pieds. Peu de temps auparavant, elle les aurait envoyées valdinguer. À présent, elle se réjouit de les observer. Elle réserve toujours sa miette la plus grosse pour le plus maigrelet des oiseaux. Un réflexe, sans doute.

74

C'est dans les vieux pots
qu'on fait les meilleures confitures

Jean constate que la vieille dame a pris de nouvelles habitudes en vivant seule. Mémé Lucette
ne laisse plus la clé dans la serrure en se couchant
le soir, mais la suspend à un clou (pour n'être un
embêtement pour personne, au cas où), elle discute seule, parfois avec Pépé Marcel ou d'autres
amies imaginaires.

Lucette se moque bien que cela ne se fasse pas.
À la maison, Marcel l'accompagne maintenant
en permanence. Ils partagent tout, notamment le
grand malheur d'avoir vu passer Marie, sa fille,
de l'autre côté. Elle qui aimait tant les enfants,
mais ne le montrait pas de la bonne façon peut-
être, elle qui n'avait pas connu son frère aîné : elle
se retrouve avec le petit Gabriel pour l'éternité.

Lucette ne fait désormais plus rien en grand, ni ses projets, ni son quotidien. Faire tout en petit, presque à moitié, la rassure : il reste une part d'inachevé, des points de suspension plutôt qu'un point final. La grand-mère ne défait plus complètement son lit quand elle s'y glisse le soir. Ainsi, le poids de l'édredon l'empêche de s'envoler, elle qui est devenue légère comme une enfant. Et puis il n'y a qu'un côté du lit à arranger chaque matin.

Lucette laisse tous les volets ouverts la nuit, elle ne frotte plus ses sous-vêtements et chaussettes une fois par semaine, tous à la fois, mais laisse tremper chaque soir ceux du jour. Elle saucissonne les tâches, l'effort, pour se faciliter la vie, pour apprivoiser tous ces petits changements, toutes ces choses qui ne demandaient aucune concentration particulière et qu'elle ne parvient plus tout à fait à accomplir comme avant.

Lucette a 73 ans. Elle talonne l'espérance de vie, pense de plus en plus souvent à sa propre mère, qui a été emportée dans son sommeil à 70 ans. Une belle mort, avait-elle dit alors, mais, aujourd'hui, elle ne s'y résout pas. Son existence a été remplie de tant de surprises qu'elle ne peut s'empêcher de rêver à ce que lui réserveraient dix ans supplémentaires. Jamais elle n'avait prévu sa dernière grossesse – Marie –, arrivée des années après les autres, jamais elle n'avait imaginé le tourbillon que Jean créerait, ni le manque qu'il laisserait. Jamais elle n'avait osé espérer le retour de celui-ci, accompagné d'une surprise de taille : son double, en miniature. Et tout aussi bavard. On dirait qu'il essaie de rattraper le temps perdu, ce p'tit bonhomme-là.

Lucette ne fait plus de plans sur la comète. « On verra bien », dit-elle. « Quoi ? » Elle ne le précise pas. Elle ne répond plus jamais « Oui, très bien », comme auparavant, tel un réflexe, à la question qu'on lui pose le plus chaque jour : « Comment allez-vous aujourd'hui ? », mais elle soupire : « On fait aller. »

Mémé Lucette manque d'entrain, mais pas Jean : il en a pour deux, Serge pour cent. Ensemble, ils forment une fine équipe. Si elle compte les années qui restent, Lucette ne compte plus ses élans d'amour. Ses sentiments ont fini par déborder.

Lucette ne se retient plus de rire, ne se retient plus de donner un baiser sur la tempe de Jean ou de Serge, ne se retient plus d'aimer. Elle se rend compte qu'il n'est pas trop tard pour tout partager, tout lâcher, avec générosité.

Chaque jour, la vieille dame demande un sursis au petit Jésus. En croisant son regard furtivement dans le miroir de la salle de bains, elle murmure un « pas aujourd'hui, s'il vous plaît ». Elle ne s'attarde plus devant cette glace qui ne la juge pourtant pas et qui en verra d'autres. Elle le sait : son corps se relâche, sa tête l'abandonne, prenant quelques libertés avec le réel.

Mémé Lucette s'en fiche, comme du « qu'en-dira-t-on ». Si elle a envie d'inviter Lucien le facteur, son ami de toujours, à déjeuner cinq fois la semaine, elle ne s'en prive pas. Sa fidélité à Pépé Marcel n'est plus à démontrer. Entre eux, de toute façon, c'est plus fort qu'une histoire d'amour. C'est une histoire de vie, une tranche épaisse et généreuse d'amitié, débordante de crème et de beurre, où l'amour, celui qui finit mal en général, n'a pas sa place. Entre eux, rien ne finira jamais.

Malgré le fait que les choses aient légèrement changé avec Lucette, Jean ne doit pas montrer sa nostalgie à Serge. Ils ont perdu leur mère, mais le jeune frère ne semble pas avoir vraiment compris le drame irréversible qui s'est joué loin de ses yeux. De temps en temps, il demande quand reviendra sa mère, alors qu'ils sont au cimetière à fleurir la tombe de Marie. Sans attendre de réponse, Serge repart en chantant « Il en faut peu pour être heureux » du *Livre de la jungle*, qu'ils viennent de voir au cinéma.

Jean aimerait pouvoir s'isoler et faire le point, mais il s'interdit de laisser Serge seul avec Mémé Lucette : moralement, il a passé un contrat avec la vieille dame. Elle les a repris à condition qu'ils ne soient pas une charge supplémentaire. À son tour d'être un soutien pour elle, de lui renvoyer l'ascenseur.

Sur la plage, tandis que Mémé Lucette observe la mer depuis son banc, Serge découvre les joies de la mer et disparaît dans les trous qu'il creuse toujours plus profondément. Jean, lui, respire l'air marin qui lui a tant manqué.

Dans ces moments-là, il pense à sa mère : si elle n'avait pas dû prendre ce train pour les retrouver, aurait-elle pu se rendre plus vite à l'hôpital ? À Paris, peut-être qu'elle aurait eu de meilleurs soins ? Peut-être que, s'il avait été plus gentil, son corps se serait battu plus fort contre la maladie ?

Mais il l'a abandonnée, il l'a rejetée avec sa rancœur de gamin buté. S'était-elle montrée une seule fois méchante avec lui ? Non. N'essayait-elle pas, chaque jour, de le protéger, de faire en sorte qu'il ne manque de rien ? Ne donnait-elle pas son maximum ? Peut-être que, finalement, c'est le minimum qui aurait suffi à Jean. Elle avait décidé de le reprendre, car elle croyait dur comme fer qu'ils pourraient être plus heureux, tous les deux, s'ils étaient ensemble. Et c'était vrai. En théorie.

Il garde des souvenirs merveilleux de son jeune âge, quand elle lui caressait les cheveux en chantant une berceuse, quand elle faisait des crêpes et riait à chaque lancé raté. Il n'a pas retrouvé son inconscience à Paris, leurs fous rires, mais tout cela n'était pas mort. Jusqu'à ce mois de janvier 1974.

Jean se fait la promesse que la mémoire, la légèreté de Marie ne seront jamais éteintes tant qu'il la fera vivre en partageant sa part d'enfance joyeuse avec Serge, lui qui n'a pas encore connu le bonheur, le vrai.

Alors, sur cette plage où tout manque, le soleil, les cousins, les parcours de billes, les copains, même Anita, qu'il n'a pas revue, il n'a pas le droit de se sentir seul, perdu, sans sa mère.

Tant qu'il est entouré, tant qu'il y a de l'amour, il pourra tout. Il est de retour chez lui, il a grandi, et il peut encaisser, toujours plus. Il n'a plus peur. Les chances d'être heureux sont là, partout, il suffit de les respirer, comme l'air frais marin, et d'en embellir leurs vies. Désormais, il a un nouveau frère à adopter et une grand-mère qui a besoin de lui comme jamais. Encore une fois, il fera face. Jean doit être fort autant que sa grand-mère est faible.

Sur le chemin du retour, la vieille femme passe son temps à trébucher : ses chaussures orthopédiques ne la maintiennent plus bien à la cheville, et lui donnent un drôle d'air. Alors Jean durcit son bras. Avec lui à ses côtés, elle ne tombera pas.

Jusqu'à cette fois où Lucette flanche, seule, entre sa chambre et les cabinets, et reste allongée de longues minutes au sol, inconsciente.

C'est Serge qui la trouve en pleine nuit. Il réveille aussitôt Jean, qui renvoie le petit garçon au lit.

Jean se penche au-dessus de sa grand-mère, positionne sa main : elle respire. Il tend l'oreille puis l'entend supplier d'une petite voix enfantine, en pleurs :

— Non, pas les carabes ! Ils sont partout, ils sortent du frigo, regardez. Ils viennent pour moi. Aidez-moi. Je ne veux pas être dévorée !

Jean vérifie autour de lui, mais rien, bien sûr. Le frigidaire est bien loin de la vieille dame et est encore moins rempli d'insectes.

Le jeune homme ne sait pas quoi faire. Il opterait plutôt pour la remettre au lit : ce n'est après tout peut-être qu'un mauvais rêve ? Mais il a peur de lui faire du mal en la soulevant : elle s'est peut-être cassé quelque chose et il ne faut pas risquer de la déplacer. Doit-il appeler les secours au plus vite ? Il connaît sa peur viscérale pour les hôpitaux, sa frayeur d'être emportée là-bas et de ne jamais plus remettre les pieds chez elle. Du coup, il ne voit qu'une solution. Il fonce sur le téléphone et compose un numéro. Dans la panique, il se trompe, recommence, puis enfin cela sonne : une voix familière et pâteuse répond.

— Ne t'inquiète pas, Jean. J'arrive !

75

Au diable Vauvert

Serge s'est rendormi, comme si de rien n'était, comme si la faiblesse de sa grand-mère n'allait avoir aucune incidence sur son avenir. Jean envie cette naïveté qu'il a perdue. Quand exactement ? Il ne s'en souvient plus.

Lucien arrive dix minutes plus tard et s'accroupit auprès de Lucette : celle-ci n'a pas recouvré ses esprits, mais est beaucoup plus calme à présent. Les carabes lui ont laissé un peu de répit.

Ensemble, Jean et Lucien prennent la décision de remettre Lucette au lit. Retourner à l'hôpital pour Marie l'avait vraiment secouée. Elle avait confié à Lucien que, si un jour elle devait s'y rendre, ce serait les pieds devant. Le facteur attend le restant de la nuit, calé dans le fauteuil, luttant contre l'anxiété. Mais c'est le sommeil qui l'emporte en premier.

Jean, lui, ne parvient pas à fermer les yeux, encore moins à tenir en place. Il tourne sur lui-même et finit par se poster sur la chaise près du lit de Lucette, pour lui caresser la main. Elle est translucide et froide.

Sa grand-mère est si tranquille qu'il s'en veut de s'être inquiété pour rien. D'ici quelques heures, elle va se réveiller d'une nuit sans souvenirs et, comme chaque matin, s'éclaircir la voix avant de demander à Jean de l'aider à s'extirper du lit pour se rendre aux toilettes.

Les cheveux détachés, Jean se rend compte qu'elle les a vraiment très longs, peut-être jusqu'à la taille. Témoins d'une vie bien remplie. Jean approche son nez et en respire le parfum : ils sentent le musc, il retrouverait presque l'odeur de cèdre de ses crayons de papier préférés.

Quand il se rassoit, Lucette a ouvert les yeux et lui sourit.

— Tu es venu ! Je le savais que tu viendrais. Je t'ai attendu tellement longtemps, mon petit. J'avais hâte de te retrouver, Gabriel.

Jean ne s'offusque pas. Il n'est plus à une confusion près. Tant qu'elle reparle, il est rassuré.

— Tu sais, mon petit, que l'on ne s'habitue jamais à la perte d'un être cher. Cela m'a crevé le cœur quand tu es parti, Gabriel. Tu étais mon premier bébé, on ne peut pas se remettre de ce genre de malheur. Jamais. Aucun de tes frères et sœurs n'a pu effacer cette douleur.

Jean ne bouge pas, il écoute, encourage Lucette à continuer.

— Je t'ai aimé tellement fort, tu sais ! Tu me manques tant. D'accord, j'ai eu d'autres enfants, sept en tout, ce n'est pas rien, j'aurais pu m'en remettre, mais on n'oublie jamais cette douleur-là. Jamais. Deux enfants, en plus.

Jean pense à sa mère, Lucette continue :

— Si tu savais à quel point mon cœur s'est brisé quand je t'ai perdu, toi ! dit-elle en attrapant la main du garçon. On ne se prépare jamais à devoir laisser partir un enfant, on ne se prépare pas non plus à ce qu'on nous le reprenne. On m'a arraché un autre bout de mon cœur quand tu es parti à Paris. J'ai perdu deux petits, Gabriel et toi, Jean.

Jean s'est brusquement redressé sur ses pieds. Le sol est froid, mais le regard doux de sa grand-mère l'enveloppe :

— Mais je ne pouvais rien dire, je n'étais pas ta mère. Pourtant, tu es comme mon huitième enfant, Jean. Sûrement ma plus grande fierté, mon petit. Enfin… tu es presque un homme, maintenant.

Elle soupire avant de reprendre dans un souffle plus court encore :

— Tu es le cadeau inattendu que Dieu m'a fait. Deux fois, en plus. Je ne veux pas te revoir avant longtemps, là-haut ! Tu m'entends ?

Jean déglutit. Il n'est pas sûr de bien comprendre. Sa gorge se serre, les mots ne sortent plus, il ne peut qu'enlacer sa grand-mère qui continue d'une voix toujours plus ténue, comme pour confier un secret qu'elle ne voudrait partager qu'avec lui :

— Prends soin de Serge. J'aurais aimé le connaître mieux. Je pars tranquille. Avec toi, il est entre de bonnes mains. Tu as un grand cœur, mon petit. Ne l'oublie jamais. Et tant de talent : n'arrête jamais de croquer la vie !

Jean ne bouge pas. Le monde pourrait s'arrêter de tourner, les bombardements de la gare pourraient s'abattre sur sa tête, qu'il ne lâcherait pas ce faible corps qu'il serre contre lui et qu'il sent se soulever avec régularité.

Quand sa grand-mère s'assoupit à nouveau, il attrape son carnet et en parcourt les pages. Il égrène les feuillets, et sa grand-mère prend vie sous ses yeux. Même les mailles de son tricot semblent se monter à la vitesse de la lumière. Jean pourrait presque identifier la couleur des chandails dans ces croquis en noir et blanc.

Sur les premiers dessins, la bouche de Lucette est pincée, son regard noir lancé vers l'illustrateur, sur les plus récents, le sourire est enfantin, l'œil parfois absent. Dans les ultimes ébauches, effectuées à la sauvette alors que Lucette s'était endormie dans son grand lit, les traits sont reposés, le sourire omniprésent.

Alors, sans faire le moindre bruit, Jean saisit un crayon de bois, le respire pour se donner du courage et croque Lucette, assoupie. Il fait un dernier dessin, avant de sombrer dans un doux songe, un dernier dessin, alors qu'il restait encore quelques belles pages blanches à son carnet.

76

Jésus, Marie, Joseph !

Mémé est partie, pour son voyage le plus long, le moins fatigant peut-être. À peine un an après la disparition de sa fille. Même s'il est dévasté par la tristesse d'avoir perdu sa meilleure amie, Lucien s'occupe de tous les préparatifs pour l'enterrement. Jean n'aurait pas su faire, sauf pour la musique, où, bien évidemment, il aurait choisi *La Traviata*.

Cette fois, il n'y aura personne pour lui interdire de se rendre à la célébration religieuse en mémoire de Lucette, ni pour l'empêcher de glisser un souvenir dans la tombe de sa grand-mère. Le tout dernier catalogue des Bergères de France. Pour rester à la page, Mémé !

Les messages de condoléances se bousculent dans la boîte aux lettres, égrenant des banalités :

« C'est une belle mort, elle a bien vécu quand même. » Cela est bien loin de consoler Jean. Seul le père Denis a su trouver les mots qui l'ont apaisé.

— Elle est sereine maintenant. Elle va retrouver l'amour de sa vie, Marcel, et ses enfants disparus.

Dans l'appartement de Lucette, que reste-t-il réellement de la vieille dame ? Des aiguilles à tricoter, des catalogues Bergères de France, des plats à tarte qui ont symbolisé tant de moments de bonheur. Même le frigidaire a son histoire, mais cela ne suffit pas à redonner le sourire à Jean.

Il est préoccupé : il sait que lui et Serge vont devoir partir. Il n'a pas encore compris où. Il ne veut pas être séparé de son frère, qui ne cesse de pleurer, car, désormais à plus de quatre ans, il comprend un peu mieux les choses de la vie. La mort aussi.

Mémé Lucette ne s'est pas embêtée à léguer ses meubles, ses affaires, qu'elle a toujours jugés bien peu de chose. Elle a seulement laissé une instruction : un nom à contacter. *Lecœur.*

Jean tremble, ce nom lui dit vaguement quelque chose, mais qui ?

Jusqu'au bout cette foutue maladie des noms !

Ça lui fait immédiatement penser à Paris. Le cœur de Paris ? Il ne souhaite pas retourner chez

Gaston. Jamais. Pas après avoir retrouvé sa Normandie natale. Serge lui rappelle l'essentiel :

— Le plus important, Jean, c'est que l'on reste ensemble. Toujours !

Quand, à la porte, se présente le légataire testamentaire de sa grand-mère, les jambes de Jean se dérobent sous lui. Il n'y croit pas : Lecœur ! Mais oui, bien sûr !

Épilogue

En route, mauvaise troupe !

Sous l'impulsion d'une Françoise déter-
minée, toute la famille Lecœur a quitté l'Allemagne, qu'ils aimaient tant, pour effectuer un
retour définitif à Granville dès mars 1975. La
douleur de perdre Lucette a été mise de côté
face à l'urgence de venir à la rescousse de Jean
et de son petit frère. Famille Lecœur, au rapport !

Au hasard des rues granvillaises, Jean a trouvé
un cadeau qu'il avait prévu de faire à Lucette
au Noël prochain, le destin en a décidé autrement. Il a tout de suite reconnu un objet cher à
sa grand-mère et a dû faire de très nombreuses
missions pour la dame de la papeterie afin de se
le procurer. Pour rien au monde, il n'aurait éco-
nomisé ses efforts.

Il fallait que Mémé rejoigne l'éternité avec elle. Sa médaille de la Vierge Marie. Pour que la mère et la fille fassent, enfin, la paix.

À l'enterrement de Lucette, tous les cousins sont venus, ses fils aussi. La commune s'est également déplacée en nombre : c'est qu'elle était drôlement aimée, Mémé. Lucien a fait un discours très émouvant. Jean n'a pas réussi à retenir ses larmes, les autres non plus.

Petit à petit, les choses ont repris leur cours. Françoise et sa famille ont emménagé dans leur nouvelle maison normande : Gabin en moins, parti faire son service militaire, et deux gamins en plus. Sans oublier la terreur… Pastis !

Comme Mémé Lucette, Pastis reste fidèle à sa passion pour les fils. Si Françoise cache ses tricots, surtout ceux en cours, elle laisse le toutou désobéissant jouer avec les bouts de laine colorés des échantillons. Le plus laxiste de la famille, car complètement gaga, est, contre toute attente, Alfred, le mari de Françoise : il lui cède tout, même sa pipe !

Installé sur la plage avec sa famille, Jean s'applique avec ses feutres. Serge a une demande très particulière : un portrait géant de leur mère, car le petit garçon ne s'en souvient plus très nettement.

Tandis que Jean laisse son crayon le guider, Serge retrouve sa langue bien pendue et ses sempiternelles questions bien senties :

— Elle était comment, Maman, quand vous habitiez ensemble ?

— Ça remonte à très loin… Je ne m'en souviens plus trop, tu sais. Je n'avais même pas 6 ans !

— Moi, je me rappelle sa voix surtout, très grave, si belle quand elle chantait.

— Maman était très jolie : des beaux yeux verts, ses vrais cheveux étaient noirs, assez courts, à la garçonne. Et puis, elle sentait si bon !

— Tu vas avoir du mal à dessiner son odeur, tu sais ! fait remarquer Serge.

— Je me souviens qu'elle se glissait près de moi le soir, après le travail, pour me caresser les cheveux, elle me racontait une histoire. Parfois elle fredonnait et je m'endormais alors qu'elle me grattait le dos. Souvent je me réveillais, elle s'était assoupie, elle aussi, à côté de moi. On rigolait beaucoup, je ne sais pas à propos de quoi, mais j'ai gardé en tête son rire.

— Ça m'aurait bien plu de mieux la connaître, mais je suis heureux maintenant, et j'aimais bien aussi quand on était avec Mémé Lucette. Tu préfères quoi, toi ?

— C'est une drôle de demande ! C'était autre chose. Je ne peux pas choisir, encore moins comparer.

— Pourquoi ?

— Parce qu'il y a une énorme différence !

— Quoi ?

— Maman, elle m'a fait le plus beau cadeau au monde !

Intéressé et curieux, Serge demande :

— C'est quoi ?

— Bah, toi ! Gros bêta ! dit-il en lui ébouriffant ses cheveux qui ont une douceur de hérisson. Un vrai frère !

Serge sourit, puis fait une longue pause pour reprendre son sérieux avant d'oser :

— Tu lui en veux, à Maman ?

— Non, pourquoi ? Maman, elle a fait ce qu'elle a pu. Elle a été très triste, alors que, moi, finalement, j'ai eu une vie de carte postale ! S'il y a bien un truc que je sais, que je ressens, c'est que, toutes ces années, j'ai été heureux, drôlement heureux…

Si Mémé Lucette l'entendait, elle serait fière de lui. Jean a si bien grandi. Le petit frère, intarissable, continue :

— Maman, tu la trouvais jolie comme Anita ?

Serge a bien vu comment Jean la regarde à la dérobée, quand elle passe désormais sans Thierry.

— Elle est belle, Anita ?

— Arrête de me mener par le bout du nez, Jean ! Tu es amoureux ! On dirait Pastis devant un fil de télévision.

Jean ne peut s'empêcher de sourire béatement.

Cela se voit tant que ça ?

Et puis, pour un grand rêveur comme lui, qui a passé sa vie à tomber, il fallait bien qu'un jour il tombe amoureux… En espérant que lui n'aura pas, comme Marie, un cœur d'artichaut.

— Serge, tu as eu Gaston au téléphone cette semaine ?

— Oui, il doit venir aux prochaines vacances. Normalement…

Jean scrute en direction de la côte anglaise : Ah, les pères !

— Les garçons ! On vous attend ! appelle Tante Françoise.

Gautier et Gustave cavalent sur le sable, suivis par les deux frères, qui font la course. Rien ne semble les arrêter, jusqu'à ce que Serge trébuche juste avant l'arrivée, un peu comme Poulidor.

Un petit coquillage, sûrement. Jean lui offre sa main et le relève : ensemble, leurs silhouettes en contre-jour remontent la plage.

Quand Jean l'embrasse, son oncle Alfred lui adresse une remarque que personne ne lui avait faite auparavant.

— Tu piques, mon grand. Demain, je te montre comment te raser.

C'est avec son vrai père qu'il aurait dû apprendre ce geste ancestral. Ce sera avec son oncle, sous le regard envieux de Serge, qui caresse ses joues douces de bébé en espérant croiser un poil alors qu'il n'a pas plus de vingt dents de lait.

Tandis que le jour se couche et qu'ils ont tous le soleil dans les yeux, Tante Françoise décide de faire une photo de famille. Elle regroupe tout le monde sur les marches devant leur nouvelle maison normande :

— Serrez-vous, sinon je vais en avoir qui seront hors cadre. En voilà une grande et belle famille ! Trois… Deux… Jean, pose-moi cette valise ! Tu pars quelque part ? Et Alfred, retire le béret et la pipe à ce chien ! On va nous prendre pour des fous furieux. Voilà ! Trois, deux, un…

— Pastiiiiiis !

Après un bon dîner, une choucroute – de la mer, il faut bien s'adapter –, Françoise les envoie tous au lit.

— Allez, au dodo ! Demain une grande journée nous attend. On prend le Camper et on va…

— Faire cent fois le tour des ronds-points de Normandie ? Au petit bonheur la chance…

— Très drôle, Serge ! Tu sais bien que, demain, Lucien fait son grand saut en parachute ! On va lui faire la surprise de sa vie !

Cela fait maintenant deux mois que, chaque soir, Jean se couche dans un vrai lit, un lit surélevé, pas un matelas. Et pour lui tout seul, s'il vous plaît. Il n'y est toujours pas habitué. La première nuit, il a même failli pleurer de joie. Le lendemain aussi, en découvrant que Tante Françoise avait déposé sur son bureau un bloc de papiers épais et des crayons de couleur, à l'odeur envoûtante de cèdre.

De l'autre côté du couloir, dans sa chambre, Serge aussi est impressionné. Ils n'ont jamais été tant éloignés l'un de l'autre. Les frères parviennent rarement à s'endormir sans papoter des heures, à partager leurs secrets. Sans compter le nombre de nuits où Serge a rejoint Jean sous l'édredon, effrayé par la tempête qui s'abat sur le remblai.

— Ça suffit les histoires de frangins. Extinction des feux !

Comme chaque soir, Jean sent sa poitrine se serrer quand Françoise entre dans sa chambre pour déposer un baiser sur sa joue avant de lui souhaiter de beaux rêves. Cela lui rappelle de merveilleux souvenirs. Et un peu les bisous de sa belle Anita, aussi.

Si Jean était rêveur, au point de chuter souvent, aujourd'hui, des rêves, il n'en a plus. Il ne court plus après rien. Plus de requêtes au petit Jésus.

Encouragé par Serge, Jean a finalement écrit un petit mot à son ancienne voisine pour lui déclarer sa flamme. Sur l'enveloppe, il a dessiné un éclair. Tout avait d'ailleurs commencé par un coup de foudre entre eux. Lorsqu'elle lui a rendu son nounours, Anita lui a bien fait comprendre que c'était de lui dont elle avait besoin désormais. Tous les jours de sa vie, quel que soit le temps au-dessus de leurs têtes. Un nouveau départ, comme une deuxième chance !

Jean a la vie dont il rêvait, la meilleure vie possible, compte tenu des circonstances. Mieux vaut tard que jamais, penseront certains. Comme au bon vieux temps, aurait dit Mémé Lucette.

Tous les soirs, quand Jean ferme les yeux, entre l'odeur de pain perdu des cheveux de Tante Françoise et celle des cèdres de son enfance, il se sent enfin... comme chez Maman.

FIN

POUR VOUS EN DIRE PLUS

Je devais écrire l'histoire, en noir et blanc, d'un petit garçon en mal d'amour. Pour essayer de comprendre comment l'on peut abandonner son enfant. J'ai cherché à inventer une raison à ce qui peut sembler inconcevable. Le récit était prêt (inspiré de l'enfance de mon père, élevé par sa grand-mère), le plan finalisé, les personnages affinés. Ce devait être l'histoire d'un enfant malheureux et d'une mère coupable. Cependant, je me suis rendu compte que tout n'est ni noir, ni blanc. L'enfant pouvait être heureux et, elle, victime de son époque. Et qui serions-nous actuellement pour juger, sans chercher à comprendre ?

Être parent est certainement le rôle le plus compliqué du monde. Personne ne nous apprend rien quand on sort de la maternité avec 3 kg d'amour à donner. Il n'y a que l'école de la vie. Et cela est encore plus difficile lorsque l'on n'a pas choisi ce qui nous arrive. On joue la partie avec les cartes que l'on a : la famille dans laquelle on a grandi, l'éducation que l'on a reçue, notre âge, le pays dans lequel on naît, l'époque qui dicte ses lois.

Ma première pensée va à ma grand-mère paternelle, qui a laissé mon père derrière elle. À celle que je n'ai jamais comprise de son vivant, ni même su aimer, je lui ai trouvé des raisons. Elle aura eu les siennes. Peut-être que quelques-unes seront similaires.

Dans le roman, Marie dit à son jeune fils : « *Tu sais, ce n'est pas évident pour moi. Quand on est une femme, on nous autorise soit le rôle d'épouse pondeuse, soit celui de femme légère, égoïste. Tout n'est pas blanc ou noir, Jean, jamais. J'espère que tout cela changera. Pour moi, c'est trop tard, mais il y a une chance pour que les choses soient différentes pour ta fille, si tu en as une un jour. Je souhaite qu'elle soit libre. De ses choix, de son corps. Libre de vivre ses rêves. Je ne te demande pas de me pardonner, mais peut-être qu'un jour tu me comprendras.* »

Par cette phrase imaginée, je me mets à sa place. Je n'ai pas eu à me battre – pour être libre, pour avoir le choix de fonder une famille ou pas. J'ai pu courir après mes rêves, sans me poser de questions.

Ce roman est dédié aux femmes d'aujourd'hui et de demain, pour qu'elles se rappellent celles d'hier, qui ont été les premières à tracer un nouveau chemin vers la liberté.

Je dédie également ce livre aux mémés courageuses, ces matriarches formidablement fortes, qui ont été le pont entre deux générations, qui n'ont pas tout compris ni accepté, mais qui ont joué un rôle crucial dans nos vies. Comme Lucette, Jeanne, mon arrière-grand-mère tricoteuse et d'une grande fidélité – une mémé modèle –, a élevé mon père et l'a rendu heureux. Je suis fière de porter son nom en deuxième prénom.

J'ai une pensée particulière pour ma grand-mère maternelle adorée. Mémé. L'amour des livres me vient d'elle, et le goût d'écrire sûrement aussi. À chaque rentrée scolaire, j'avais droit à un cadeau : un stylo ou un livre. J'ai gardé mon premier stylo-plume reçu en CP jusqu'en 4e. Un Pélikan jaune et violet, qui fuyait depuis des années avant que je n'accepte, avec tristesse, de m'en séparer. Ironie du sort, une nouvelle tache de rousseur est depuis apparue sur ma lèvre inférieure : elle fait penser à une marque d'encre, comme si j'avais rêvé avec la plume à la bouche.

C'est avec ce stylo que j'ai rédigé une lettre à ma grand-mère lui annonçant avec aplomb : « Quand je serai grande, je serai écrivain ! » Elle n'a jamais réussi à retrouver cette lettre. Il n'en reste que le souvenir.

Ce que l'on garde en mémoire n'est pas toujours fidèle à la réalité. On le façonne, il nous modèle à son tour et conditionne qui nous devenons. Il nous reste quelques sensations, odeurs, goûts, objets vieillots ou simples flashs : le tricot, les cousines, le grenier avec ses bibelots désuets, les grandes malles en bois pleines de déguisements ou de jeux de société. Une passion immodérée pour les jeux en famille, notamment le Scrabble, où Mémé était patiente, car j'avais la fâcheuse habitude d'inventer des mots farfelus. J'ai déjà rendu mes deux enfants accros à ces parties enflammées.

Une pensée spéciale à ma tribu : Olivier, Jules et Gaspard. Nous puisons notre force en se serrant tous les quatre. *Le câlin de la famille.* C'est notre façon de nous dire que l'on s'aime. Quand ils ne sont pas là, il me manque trois membres. Je suis comme une coquille vide. Je trouve mon énergie et une grande partie de mon inspiration auprès d'eux, dans mes souvenirs, mes observations au quotidien.

Merci à mon fils Jules, petit garçon qui tombe tout le temps, absorbé par sa contemplation du monde. Un grand sensible, naïf, optimiste, pipelette infatigable, chanteur du lundi au dimanche, et qui se relève, chaque fois, le sourire aux lèvres.

À Gaspard, mon dernier, qui vient de faire ses premiers pas, ses premières chutes aussi, et tend une main à son frère pour qu'il le relève. C'est si beau de voir un rapport fort se créer entre deux frères, qui désormais se cherchent du regard pour rire et partager un moment complice.

La maternité est l'un des plus beaux cadeaux que l'existence m'a accordés. Je suis chanceuse d'avoir eu deux merveilleux garçons qui enchantent ma vie. Le temps d'un roman, ils ont été Jean et Serge, se tenant par la main, avançant vers leur bonheur. Parce que les enfants, c'est la vie.

Un autre présent inestimable dont je jouis chaque jour est le fait de vous avoir, vous, lecteurs fidèles. Vous m'accordez votre confiance, un temps de votre vie, pour suivre mes histoires optimistes. Merci à vous, que vous soyez blogueurs, que vous suiviez mes aventures sur les réseaux sociaux, ou que vous soyez de fervents soutiens qui dépensez tant d'énergie et de passion à faire connaître mes histoires à vos proches : un merci INFINI. Jean, Lucette, Ferdinand, Juliette, Martine, Jacques, Daisy, Sherlock, Pastis ou Pépette n'existeraient pas sans vous.

Sans votre amour, votre cœur sensible, votre âme d'enfant.

Je viens chatouiller vos souvenirs les plus anciens, je m'invite à votre table familiale, et vous m'y accueillez toujours avec générosité. Gardez vos rêves d'un monde meilleur, je continue mes contes pour adultes, qui nous font du bien à tous.

Enfin, c'est naturellement que je dédie ce livre à mon père.

Il a tout de suite accepté que je romance son histoire, m'aidant par ses témoignages à peindre une décennie que je n'ai pas connue. Il a eu une enfance de l'époque, comme beaucoup, un peu cabossée, rarement modèle.

À ces enfants pas toujours désirés, qui doivent pardonner et faire le deuil du parent parfait, pour pouvoir avancer dans la vie et être heureux. À ceux qui, comme Jean, se demanderont comment être un bon parent, quand on n'a pas été élevé par les siens ? Comment être un bon époux, lorsque ses parents se sont séparés ? Comment s'assurer que ses enfants ne manquent de rien et sont sincèrement heureux ? Ce sont les questions qui ont hanté mon père, lui qui toute sa vie a recollé les pots cassés et continue de douter.

Il y a quelques mois, mon père m'avoua qu'il n'avait pas bien vécu la période de son divorce.

Du haut de mes 7 ans, j'avais vu la peine de ma mère, mais pas sa douleur à lui. Il était triste et seul. Il me raconta qu'il ne savait pas comment occuper son temps sans nous, notamment le week-end. Il prenait la voiture et roulait. Sans s'en rendre compte, il finissait sur le parking en bas de chez nous, devant l'immeuble où l'on habitait avec ma mère, qui était aussi le sien, avant. Et il restait des heures à regarder les lumières allumées au dernier étage, celles de nos chambres. Il savait qu'on était là et qu'on était heureux. Alors, il allait mieux.

Dans la famille, on ne sait pas forcément dire que l'on s'aime ni montrer nos sentiments, mais il y a des gestes qui ne trompent pas. J'ai eu une enfance heureuse, je n'ai jamais manqué de rien, encore moins d'un père. Je suis estomaquée qu'il en doute. La réponse est déjà là, me semble-t-il.

Mon père m'a poussée à être une meilleure version de moi-même, à ne pas être frivole, à ne pas tomber dans la facilité, à garder une curiosité pour les choses nouvelles, les surprises de la vie, le respect de la nature. Il m'a enseigné la valeur du travail. Par certains côtés, il me fait penser au personnage du père dans *Les Quatre Filles du docteur March*, lorsque celui-ci revient après une longue absence et complimente Meg, sa fille aînée, pour ses mains abîmées par leur labeur.

Il m'a appris la patience, autour de bons vins de garde. Les choses que l'on ne sait pas suffisamment apprécier aujourd'hui et qui seront nos petits trésors de demain. Les sels de la vie. J'y travaille encore. Les graines semées ont germé.

Mon style est accessible en hommage à mes parents et grands-parents, qui n'ont pas fait d'études. Mes textes nous ressemblent : je laisse transparaître ma joie de vivre, ma sensibilité, ma curiosité. Je reste fidèle à qui je suis, et aux lecteurs.

Il y a ce que l'on transmet, ce que l'on dit, ce que l'on tait, et ce que l'on fait. À mon tour d'être un parent responsable et aimant auprès de mes enfants. Ou, au moins, de faire de mon mieux.

Alors que je demandais à Jules, mon aîné, ce qu'il souhaiterait recevoir pour Noël, il me répondit : « Rien. » J'ajoutai ironiquement : « Parce que tu as déjà les meilleurs parents du monde ? » Il rétorqua : « Non », du tac au tac. Je déglutis, mon ego en avait pris un coup, et, lui de poursuivre : « J'ai déjà eu le meilleur des cadeaux ! Un petit frère que j'aime trop. Mais il ne faut pas le rapporter, hein, Maman » ? Ce n'était pas prévu, mon cœur !

Pour finir, je ne pouvais pas conclure sans vous présenter les artisans de l'ombre sans qui ce livre ne serait pas entre vos mains. Mon éditrice, Alexandrine Duhin, pour son coup de cœur immédiat pour Jean et Lucette. Ma maison d'édition Fayard Mazarine, ainsi que celle du Livre de Poche, avec toutes leurs bonnes fées qui veillent sur mes romans. Les équipes sur le terrain qui sont les premières à croire en mes histoires et à les défendre chaque jour. Aux libraires qui recommandent mes romans aux lecteurs à la recherche d'un livre qui leur fera du bien. Aux libraires de la première heure, comme Gérard Collard, Sandrine Dantard, Pascal Dulondel, Anne Giraudeau, et les nouveaux que je rencontre avec plaisir chaque mois aux quatre coins de la France, Jean-Michel Blanc, Myriam Robert, Nathalie Couderc. Aux autres professionnels du livre, Relay, Cultura, Fnac, les rayons littérature de vos commerces de proximité, qui me soutiennent inlassablement. Et aux responsables de Salon, qui me permettent de vous rencontrer à Saint-Maur, Gradignan, Paris, Brive, ou ailleurs.

Au plaisir de vous retrouver très vite, mes chers lecteurs, vous qui, chaque jour, par vos messages, embellissez ma vie !

Amicalement,
Aurélie

Pour contacter l'auteur
aurelie.valognes@yahoo.fr

Pour retrouver l'auteur :
Twitter : @ValognesAurelie
Instagram : aurelievalognes_auteur
Facebook : Aurelie Valognes auteur
et sur son site : www.aurelie-valognes.com

Table

Aurélie Valognes
au Livre de Poche

En voiture, Simone !   n° 34472

Pour une comédie familiale irrésistible, il vous faut : un père, despotique et égocentrique, Jacques. Une mère, en rébellion après quarante ans de mariage, Martine. Leurs fils, Matthieu, éternel adolescent mais bientôt papa de trois enfants ; Nicolas, chef cuisinier le jour et castrateur tout le temps ; Alexandre, rêveur mou du genou. Et… trois belles-filles délicieusement insupportables ! Stéphanie, mère poule angoissée ; Laura, végétarienne angoissante ; Jeanne, nouvelle pièce rapportée, féministe et déboussolée, dont l'arrivée va déstabiliser l'équilibre de la tribu. Mettez tout le monde dans une grande maison en Bretagne. Ajoutez-y Antoinette, une grand-mère d'une sagesse à faire pâlir le dalaï-lama, et un chien qui s'incruste. Mélangez, laissez mijoter… et savourez !

Ferdinand Brun, 83 ans, solitaire, bougon, acariâtre – certains diraient : seul, aigri, méchant –, s'ennuie à ne pas mourir. Son unique passe-temps ? Éviter une armada de voisines aux cheveux couleur pêche, lavande ou abricot. Son plus grand plaisir ? Rendre chèvre la concierge, Mme Suarez, qui joue les petits chefs dans la résidence. Mais lorsque sa chienne prend la poudre d'escampette, le vieil homme perd définitivement goût à la vie… jusqu'au jour où une fillette précoce et une mamie geek de 92 ans forcent littéralement sa porte, et son cœur. Un livre drôle et rafraîchissant, bon pour le moral, et une véritable cure de bonne humeur !

Rose, 36 ans, mère célibataire, est une femme dévouée qui a toujours fait passer les besoins des autres avant les siens. Après avoir perdu son père et son emploi, la jeune femme apprend que Baptiste, son fils unique de 18 ans, quitte la maison. Son monde s'effondre. Cette ex-nounou d'enfer est alors contrainte d'accepter de travailler comme dame de compagnie pour une vieille dame riche et toquée, Colette, et son insupportable fille, la despotique Véronique. Et si, contre toute attente, cette rencontre atypique allait changer sa vie ?

Du même auteur :

MÉMÉ DANS LES ORTIES, Michel Lafon, 2015 ; Le Livre de Poche, 2016.

NOS ADORABLES BELLES-FILLES, Michel Lafon, 2016 ; EN VOITURE, SIMONE !, Le Livre de Poche, 2017.

MINUTE, PAPILLON !, Mazarine, 2017 ; Le Livre de Poche, 2018.

LA CERISE SUR LE GÂTEAU, Mazarine, 2019.

Le Livre de Poche s'engage pour
l'environnement en réduisant
l'empreinte carbone de ses livres.
Celle de cet exemplaire est de :
250 g éq. CO_2
Rendez-vous sur
www.livredepoche-durable.fr

PAPIER À BASE DE
FIBRES CERTIFIÉES

Composition réalisée par PCA

Achevé d'imprimer en France par
CPI BRODARD & TAUPIN (72200 La Flèche)
en juin 2019
N° d'impression : 3034793
Dépôt légal 1re publication : mars 2019
Édition 04 - juillet 2019
LIBRAIRIE GÉNÉRALE FRANÇAISE
21, rue du Montparnasse – 75298 Paris Cedex 06